絶対決める！

警察官

［高卒程度］

採用試験総合問題集

新星出版社

●● 警察官を目指すあなたへ ●●

● 人気上昇中の警察官

　いま、あなたは警察官を目指しています。警察官は公安職の地方公務員であり、わたしたちが日常よく目にするのは交通取締りやパトロールでしょう。テレビ・映画でおなじみの刑事ものに親近感を持つ人もいるでしょう。そのほかにも交通事故の処理、防犯・警備、さらには警備業者や自動車教習所など関係団体の指導育成といったところまで広範にわたっています。市民生活の隅々まで密接にからんでいるといえます。それだけに、やりがいのある仕事といえます。

　その一方で、警察官は実力で昇進できる社会といわれることがあります。警察官には巡査→巡査長→巡査部長→警部補→警部→警視といった役職があり、この昇進が試験と勤務成績に基づくからです。たしかに採用試験はⅠ類（大卒程度）、Ⅱ類（短大卒程度）、Ⅲ類（高卒程度）というように学歴別に行われますが、警部までの昇進試験は学歴に関係なく公平にチャンスが与えられています（受験資格の発生時期に差がありますが）。このようなことからも、最近では警察官人気は上昇中です。

● 応募はどうする

　前述したように警察官試験には、Ⅰ類・Ⅱ類・Ⅲ類といった区分があります。ただこの区分という言葉も試験を実施する自治体（都道府県、人事委員会）によって異なりますから、まずはあなたが受験しようとしている自治体から募集要項を取り寄せることです。本書では、高校卒業程度の学歴を条件とする、一般にⅢ類（またはB種）と呼ばれる試験の受験者を対象としています。

　受付は１次試験の２か月前くらいから行われることが多いようです。１次試験を９月に行う自治体が多いですが、10月に行うところもあり、また、必ずしも年１回ではなく２回以上行う自治体も少なくありません。さらには、複数の自治体が相互に協力して共同試験を行い、第１志望の自治体で不合格であっても、第２志望の自治体でもう１度選考してもらえるというシステムをとっているところも増えてきています。

いずれにしても、あなたはどこの都道府県の警察官になりたいのかを決めることが先決であり、決めたらその自治体の警察本部・人事委員会から募集要項を取り寄せるなり直接問い合わせるなどしてみましょう。

● 試験はどうなっている

　Ⅲ類（Ｂ種）の試験は、1次試験と2次試験に分けて行われます。1次試験では、筆記試験、論文（作文）試験、適性試験が行われます。筆記試験はいわゆる教養試験ともいわれるもので、警察官として必要な一般的知識と知能について、高卒程度の学習内容で求められるものについて、主に五肢択一式により行われます。問題数は50問で時間は120分というのが標準です。

　出題範囲は、自治体により区分や分野がいくぶん異なりますが、おおむね以下の表のようになっています。これでも分かるように、**教養試験といってもいわゆる社会常識をためすようなものではなく、むしろ学校で学習した内容がメーン**になります。

知能分野	文章理解（現代文・古文・英文） 数的処理（数的推理・判断推理・資料解釈・空間把握）
知識分野	社会科学（法律・政治・経済・社会一般） 人文科学（国語・日本史・世界史・地理） 自然科学（数学・物理・化学・生物・地学）

　合格ラインは、年によりまた自治体により当然異なりますが、おおむね6割前後ということがいわれています。しかし、120分の時間内に50問全部を解答することはそう簡単なことではありません。単純に全問解答をするには1問当たり2分24秒という計算になりますが、文章理解や数的処理などの解答にはこれ以上の時間を要するのが普通でしょう。ということは、社会科学や人文科学などの一般知識の問題は知識のあるなしで勝負するものですから、ここに2分も3分もかかっていては、文章理解や数的処理の問題にさく時間はなくなってしまいます。

　ここで過去の出題傾向を知ることが大切になってくるわけです。本書の目的はここにあります。

本書の特色と使い方

本書は、警察官採用試験（Ⅲ類・B種）を受験しようとする人向けに、その試験分野のうち1次試験のいわゆる教養試験といわれるものの模擬問題をまとめたものです。編集にあたっては以下のような特色を持たせています。

1　どの自治体にも対応できる出題形式

警察官採用試験は、自治体ごとに実施されるので、全国共通の出題ではなく、自ずと自治体によってばらつきが出ることは否めません。だからといって、自治体によってそんなに異なる問題が出ることはありません。本書では過去の問題から出題傾向を探り、共通して問われるいわば普遍的な事項を中心に編集しています。どの自治体の採用試験を受けるにもこの1冊で対応できます。

2　重要箇所が一目でわかる赤字のキーワード

解説では問題を解くためのキーワードを赤字にしています。赤シートを活用すれば、穴埋め問題としても利用することができますので、知識の習得に役立てましょう。

3　1問1答式により知識をパッケージにして強化

1次試験は主に五肢択一式で出題されます。つまり、1つの問に対して5つの解答があって、そのなかから正しい解答を1つ選ぶという形式です。ところが初めから択一式の問題集に慣れ親しむと、設問文が問いかけている前後の文脈や内容にまで関心が払われなくなりがちで、設問文の表現が少し変わるとお手上げということにもなりかねません。そこで、本書では出題方式を1問1答式にして、設問文の正誤を問う形式を採用しています。設問文全体に目がいくことになり、どこに誤りがあるかを考えることができます。もちろん、実戦感覚をつけるために1問1答式の後に五肢択一式の問題も収録していますし、1問1答式がなじまない文章理解や資料解釈などでは五肢択一式の出題によっています。

4　くわしい解説で周辺知識を整理

問題と解答を見開きページで掲載しています。このために問題に集中して臨むことができ、すぐにその場で正解を得ることができます。解説は、単に正解を示すだけでなく正解あるいは誤りの理由も付けていますから、周辺知識の整理にも役立ちます。とくに、数的推理や判断推理、数学の分野では苦手としている人のためにもややくわしく解法の手順を解説しています。

本書は科目ごとに学習できますので、苦手なところを重点的に補強することもできますし、見開きで独立していますからわずかな時間に少しずつ学習することも可能です。本書を上手に利用して目標を達成されることをお祈りいたします。

◆◆ 目　次 ◆◆

Lesson 1

政治、経済
倫理、社会

政治の分野では日本国憲法の基本的な事項は確実に押さえておく。とくに、国民の権利、国会・選挙に関する事項は出題の確率が高い。経済は、国際関係の情勢とわが国の動静とを時間の経緯とともに押さえておく。倫理、社会では、過去の有名な哲学・思想などを特徴付けて確認しておく。

次の記述で、正しいものには○、誤っているものには×を付けよ。

問1 check!
ホッブズ、ロック、ルソーは自然権思想に基づいて社会契約説を唱えた思想家だが、どの思想家も人民が生まれながらにして持つ権利を守るために社会契約を結んで国家を作るとし、絶対主義を批判した。

問2 check!
自然権思想は「人間は生まれながらにして自由かつ平等の権利を持つ」とするもので、アメリカの「バージニア権利章典」や「アメリカ独立宣言」、「フランス人権宣言」でその考え方が具体化された。

問3 check!
19世紀までの人権は主に生命、個人の自由、財産権を保障する自由権に関するものだった。その後、労働者の権利の保障、貧困の救済等が求められるようになり、社会権（生存権）という考え方も人権の規定に含まれるようになった。

問4 check!
国連は1948年に採択した世界人権宣言をより具体化した国際人権規約を1966年に採択したが、この規約は法的拘束力は持たない。

問5 check!
法の支配とは、自然権思想に基づいて、法が個人の権利・自由を侵し得ないとするもので、権力者といえども法に従うべきことを求め、立法権も制約する制度の確立を求める。

問6 check!
直接民主制とは国民が選んだ代表が政治を行うもので、議会を中心に民主政治が行われることから議会制民主主義ともいわれる。

問7 check!
日本国憲法は前文で、国民主権と議会制民主主義の採用を明言している。

問8 check!
議院内閣制では内閣は議会の信任によって組織され行政府の運営にあたるが、議会に対しては責任を負わない。

問1　✕　ホッブズは人間は自然状態では「万人の万人に対する闘争」状態になるため、社会契約により国家に全権を委譲して秩序を守る必要があるとし、結果的に絶対主義を擁護した。

問2　〇　これらは市民革命の結果により獲得され、国民主権を基本原理とする近代憲法が広く制定されるきっかけとなった。

問3　〇　労働基本権、生存権、教育を受ける権利等が社会権の内容で、ドイツのワイマール憲法（1919年）ではじめて確立された。自由権は国家権力を制限することで保障されるが、社会権は国家に国民の生活の経済的、社会的な保障を求めるものである。

問4　✕　法的拘束力を持ち、その実施が各国に義務付けられている。この規約はA規約:「経済的、社会的及び文化的権利に関する国際規約」とB規約:「市民的及び政治的権利に関する国際規約」「市民的及び政治的権利に関する国際規約の選択議定書」から成る。

問5　〇　この考え方は、イギリスで13世紀頃に判例法を通じて確立したコモン゠ローを起源に、17世紀のイギリスの立憲主義のなかで発達した。

問6　✕　設問文は間接民主制の説明。直接民主制は国民が直接参加するもので有権者全員による会議や投票が考えられ、民主主義の原則からみれば理想的な形態である。しかし大規模な近代国家では、実現はむずかしく、間接民主制がとられている。

問7　〇　日本国憲法では、「日本国民は、正当に選挙された国会における代表者を通じて行動し、（中略）ここに主権が国民に存することを宣言し、この憲法を確定する。」として、国民主権と議会制民主主義の原理を明記している。

問8　✕　内閣は議会に対して連帯して責任を負う。内閣不信任案が可決あるいは信任案が否決された場合、内閣は総辞職するか議会を解散する。内閣は多数党で形成されるため、議会では安定性がある。

次の記述で、正しいものには〇、誤っているものには×を付けよ。

問 9
check!
□□□
アメリカの大統領は議会への法案提出権と解散権は持たないが、議会が可決した法案への拒否権を持つ。

問 10
check!
□□□
大日本帝国憲法では天皇は立法、行政、司法すべての統治権を総攬するほか、議会、内閣から独立して統帥権、外交大権、戒厳大権等の天皇大権を認めていた。

問 11
check!
□□□
日本国憲法は国民主権、基本的人権の尊重、恒久平和主義を三大原理としている。

問 12
check!
□□□
日本国憲法は国民主権が基本原理であることを明らかにしているが、議会民主主義を採用していることから、国民の政治等への意思の表明はもっぱら代表者を選ぶという間接的なもの（間接民主制）に限られる。

問 13
check!
□□□
日本国憲法では、天皇は日本国統治の象徴であることを明らかにしており、天皇は国政に関する権能を持たず、国事行為も行わない。

問 14
check!
□□□
日本国憲法は基本的人権を確保するための権利として、裁判を受ける権利、国家賠償請求権、損失補償請求権、請願権を定めている。

問 15
check!
□□□
個人の持つ基本的人権は侵すことのできない永久の権利であり、その主張や行使については制限や限界が存在しない。

問 16
check!
□□□
自衛隊についての違憲訴訟には恵庭事件、長沼事件、百里基地事件などがあり、最高裁判所はいずれの訴訟でも自衛隊に対して違憲判決を下している。

問9　○　アメリカで発達した大統領制は国民が選出した大統領が議会から独立して行政権を行使する。行政府が立法府（議会）に対して連帯責任を負う議院内閣制に比べ三権分立の原則が厳格に適用される。

問10　○　議会は天皇の立法権に協賛し、国務大臣は天皇を輔弼（ほひつ）（権能行使について進言すること）し、裁判所は天皇の名において司法権を行使するというように、立法権、行政権、司法権は究極的には天皇に属し三権分立は形式的であった。

問11　○　大日本帝国憲法（明治憲法）と比べると、主権は国民に存し、人権は尊重されるべきことが明らかに定められている。またポツダム宣言の受諾を経て、平和主義も明らかにされている。

問12　×　日本国憲法は直接民主制も採用している。地方自治特別法の住民投票（95条）、憲法改正の国民投票（96条）、最高裁判所裁判官の国民審査（79条）が定められている。

問13　×　天皇は国事行為のみを行う。しかしそれは儀礼的・形式的なものに限られ、内閣の助言と承認を必要とし、内閣がその責任を負う（3条）としている。

問14　○　設問文にある権利は、人権が侵害されたときに救済を求める権利である。国民が政治に参加できる権利も人権確保のための権利と考えられることもあり、地方自治特別法の住民投票、憲法改正の国民投票、最高裁判所裁判官の国民審査の権利がある。

問15　×　基本的人権の主張や行使が他人の人権を侵害する場合もある。憲法では人権の濫用を禁止し「常に公共の福祉のためにこれを利用する責任を負う」（12条）と定めており、人権は公共の福祉という社会全体の利益に反しない限り最大に尊重される。

問16　×　恵庭事件は地裁判決で確定している。最高裁判決は、自衛隊が合憲か違憲かに関して明確な判断を示さないまま現在に至っている。

次の記述で、正しいものには〇、誤っているものには×を付けよ。

問 17
check!
□□□

軍隊の独走を抑制するため、政府や議会の文民による民主的統制を加えることをシビリアン・コントロールといい、現在の自衛隊にも適用されている。

問 18
check!
□□□

社会環境の変化とともに新しく確立が求められている人権のなかには、プライバシーの権利がある。プライバシーの権利は私事を暴露されたくない権利としてとらえる考え方が強い。

問 19
check!
□□□

憲法は国会を国権の最高機関とし、唯一の立法機関と定めており、国会が完全に立法権を独占している。

問 20
check!
□□□

国会の種類には衆議院の解散中に内閣の求めに応じて開かれる参議院の緊急集会があり、緊急集会の議決は衆議院の同意なしに国会の議決となる。

問 21
check!
□□□

国会のもっとも重要な権限は立法権であるが、このほかにも憲法改正発議権、条約承認権、財政に関する議決権、内閣総理大臣指名権、弾劾裁判所設置権、議員の懲罰権、議院規則制定権、国政調査権、内閣不信任決議権がある。

問 22
check!
□□□

衆議院で可決した法律案を参議院が否決した場合、衆議院で出席議員の３分の２以上で再可決した場合、法律として成立する。

問 17 ○ 自衛隊の最高指揮権は内閣総理大臣が持ち、隊務を統括する防衛大臣も文民である。国防に関して審議するため内閣に設置される安全保障会議にも自衛官は加わらない。また自衛隊の定員、組織、予算は国会の議決が必要であり、防衛出動については国会の承認が必要である。

問 18 × 当初は設問文にあるような考え方が強かったが、2003 年に個人情報保護法が制定され、個人の情報は自らが管理するという考え方が強くなっている。なお、プライバシーの権利は憲法の個人の尊重（13 条）を根拠にしている。このほか、知る権利、環境権が新しい人権として主張されている。

問 19 × 「完全に」が誤り。憲法は 41 条で「国会は国の唯一の立法機関である」と定めてはいるが、両議院の議院規則制定権（58 条 2 項）、最高裁判所の規則制定権（77 条 1 項）といった例外を定めている。また国会の議決のほかに住民投票、国民投票が必要なものに地方特別法、憲法改正がある。

問 20 × 憲法では、緊急集会の議決は臨時のものであり、次の国会開会の後 10 日以内に衆議院の同意がない場合には効力を失うとしている（54 条 3 項）。なお、国会にはこのほかに常会、臨時会、特別会がある。

問 21 ○ いずれも憲法に定められた国会の権限。議員の懲罰権、議院規則制定権、国政調査権は衆議院、参議院にそれぞれ独自に与えられている。内閣不信任決議権は衆議院のみに与えられた権限である。

問 22 ○ 衆議院の優越についての問題。両議院の議決が一致しない場合、ある条件のもとで衆議院の議決を国会の議決とする。問題にある法律案のほか、予算の議決、条約の承認、内閣総理大臣の指名がある。衆議院にだけある予算先議権、内閣不信任決議権も衆議院の優越に含めることもある。

次の記述で、正しいものには〇、誤っているものには×を付けよ。

問 23
check!
□□□

衆議院で内閣不信任が決議された場合、内閣は総辞職か衆議院の解散を選択しなければならない。衆議院が解散された場合、解散の日から 40 日以内に総選挙を行い、選挙の日から 30 日以内に国会が召集されるが、その際内閣は総辞職しない。

問 24
check!
□□□

内閣総理大臣の権限には国務大臣の任免権、一般国務および外交関係の国会への報告、行政各部の指揮監督、在任中の国務大臣の訴追についての同意権、天皇の国事行為に対する助言と承認がある。

問 25
check!
□□□

行政委員会は、行政の民主的運営によって目的が適正かつ能率的に達成されるよう一般の行政機関とは独立して設置され、政治的中立を必要とする分野のほか、専門的知識を必要とする分野、利害関係の調整を必要とする分野に設置されている。

問 26
check!
□□□

小泉内閣は国と地方の関係を根本的に見直すため、2003 年に「三位一体改革」を打ち出した。

問 27
check!
□□□

公正な裁判が行われるために、日本国憲法では司法権を裁判所だけに与えて、ほかからの干渉を受けることがないようにしている。

問 28
check!
□□□

地方裁判所は下級裁判所のなかでも最上位にある裁判所で、全国に 8 か所存在する。

問 29
check!
□□□

簡易裁判所で行った刑事事件の判決に不服である場合は、三審制によって地方裁判所へ控訴することができる。

問 30
check!
□□□

最高裁判所の長官だけでなく、そのほかの裁判官も内閣の指名に基づいて、天皇が任命することが憲法で定められている。

問 31
check!
□□□

家庭裁判所の裁判官の任命は、最高裁判所が名簿に従って指名した者につき内閣が行うことになっている。

問 23　×　衆議院が解散され総選挙になれば、内閣は従前の信任の基礎を欠くことになるので、国会が召集されたときに総辞職しなくてはならない（憲法 70 条）。したがって、衆議院を解散しても総選挙後に改めて首班指名を受ける必要がある。

問 24　×　天皇の国事行為に対する助言と承認は内閣の権限。内閣の権限にはこのほか、外交関係の処理、条約の締結、予算の作成、政令の制定、恩赦の決定、最高裁判所長官の指名がある。

問 25　○　行政委員会は、国家行政組織法により内閣の統轄下にある行政機関で内閣府以外のものをいい、人事院、国家公安委員会、公害等調整委員会、司法試験管理委員会、各種労働委員会等がある。合議制の行政機関で準立法的機能、準司法的機能も持つ。

問 26　○　「三位一体改革」とは、①国庫支出金を減らし、②地方交付税交付金を見直す。その代わりに、③税財源の一部を国から地方に移譲するという 3 点を、一体として進めていく政策である。

問 27　○　そのことに加えて、裁判官の独立も憲法で規定されている（憲法 76 条 1 項、3 項）。裁判官は公の弾劾がない限り、罷免されることはない。

問 28　×　設問文の内容は高等裁判所に関するものである。地方裁判所とは高等裁判所の下位にあって、各都府県に 1 か所、北海道に 4 か所の計 50 か所存在する。

問 29　×　刑事事件の場合は高等裁判所に控訴することができる。民事事件の場合が地方裁判所。

問 30　×　最高裁判所の長官は天皇が任命するが（憲法 6 条 2 項）、そのほかの裁判官は内閣が任命する（憲法 79 条 1 項、80 条 1 項）。

問 31　○　下級裁判所の裁判官の任命は内閣が行う。家庭裁判所は下級裁判所に属する（憲法 80 条 1 項）。

次の記述で、正しいものには〇、誤っているものには×を付けよ。

問 32
check!
□□□
不当な裁判官の任命を防ぐため、国民はすべての裁判所の裁判官に対して直接選挙で審査する権限を持っている。

問 33
check!
□□□
裁判員制度は一般市民が裁判官とともに、事実認定から有罪・無罪の決定、量刑まで関与する司法制度である。

問 34
check!
□□□
国会や内閣の行為が合憲か違憲かを審査する違憲法令審査権は、地方裁判所にも認められている。

問 35
check!
□□□
裁判を 3 回受けられることを三審制と呼び、第二審の判決に不服の申立てをすることを抗告という。

問 36
check!
□□□
地方自治の本旨における住民自治とは、住民自身が地域社会の政治を行うことであり、具体的には自主的な立法権、行政権などの権限を指す。

問 37
check!
□□□
東京都 23 区や自治体の組合、地方開発事業団などを特別地方公共団体と呼んでいる。

問 38
check!
□□□
住民の直接選挙で選出された地方公共団体を統轄する代表者を首長というが、都道府県の首長の被選挙権は 25 歳以上の国民に与えられる。

問 39
check!
□□□
地方自治法では住民の権限として直接請求権を認めているが、そのなかには議会の解散請求権が含まれている。

問 40
check!
□□□
地方自治の改善・向上のため、市民の立場から自治体の行政を監視する市民オンブズマン制度が採用されている。

問 41
check!
□□□
政治的無関心には権威主義的無関心と現代的無関心とがあり、最近の無党派層の増加は前者によるものであるといえる。

問32　×　国民審査は最高裁判所の裁判官に対して行われるものである。

問33　○　2004年5月21日に裁判員制度の導入が決定され、2009年5月21日から開始された。対象となるのは刑事事件のみであり、裁判員は裁判官とともに審理し、合議で事実認定から有罪・無罪の決定、有罪の場合の量刑判断まで幅広く関与する。

問34　○　違憲法令審査権は、下級裁判所にも認められている。

問35　×　設問文前半は妥当であるが、後半の第二審の判決に対して不服申立てをすることは上告という。

問36　×　設問文前半は妥当であるが、後半の具体的内容は団体自治についてのものである。

問37　○　特別地方公共団体に対して普通地方公共団体とは、都道府県、市町村の自治体のことである。

問38　×　設問文前半は妥当であるが、都道府県の首長の被選挙権は30歳以上である。市町村長の被選挙権は25歳以上の者に与えられる。

問39　○　議会の解散請求権や長、議員そのほかの委員の解職請求権（リコール）、条例の制定・改廃請求権（イニシアティブ）などが認められている。

問40　○　オンブズマン制度は1809年にスウェーデンで始まり、住民の要求に基づいて行政活動を調査し、是正勧告ができる制度のことである。

問41　×　権威主義的無関心は、政治家や官僚、学者、評論家などの権威のある人に政治のことは任せておけばよいとする意識や態度のことである。最近の無党派層の増加は、単なる政治への無関心というよりは、既成の政党に対する不信感によるものが多いとされている。よって、逆の意味になるので誤り。

次の記述で、正しいものには〇、誤っているものには×を付けよ。

問42
check! ☐☐☐

政党は直接国政に参与するという公共的使命から全体の利益のための政策と視野を持つべきであり、政権をめぐる競争に勝つことなど考えてはならない。

問43
check! ☐☐☐

自分たちの利益を立法や行政のうえで実現させようと政府、政党などに働きかけるある特定の集団のことを利益集団と呼んでいる。

問44
check! ☐☐☐

公職選挙法で選挙運動のための戸別訪問は禁止されているが、選挙運動のための文書図画の頒布は制限されてない。

問45
check! ☐☐☐

立候補者の兄弟姉妹が選挙違反を行ったとき、その候補者の当選は無効となる。

問46
check! ☐☐☐

冷戦期における資本主義陣営は、社会主義勢力を経済的ならびに軍事的に封じ込め、西欧諸国の経済的復興と自立を援助した。

問47
check! ☐☐☐

冷戦が終了すると、これまでの緊張関係が続いた世界は安定期に入り、地域紛争などは激減した。

問48
check! ☐☐☐

国際法における慣習国際法は、公海自由の原則のように条約とは異なり世界中すべての国に効力を発揮するものである。

問49
check! ☐☐☐

国際司法裁判所で下された判決に従わない国には、一方の当事国の訴えにより国連の安全保障理事会が適切な措置をとることができる。

問50
check! ☐☐☐

国際連合の安全保障理事会は全会一致の原則で運営され、安全保障理事会の常任理事国には拒否権が与えられている。

問42　×　設問文前半は妥当であるが、後半が誤りで、政権をめぐる競争に勝つために大きな組織を必要とするのが政党の役割である。

問43　○　利益集団は圧力団体ともいい、経営者、労働者、医師、農業、女性、宗教などの団体がある。

問44　×　「選挙運動」とは、特定の選挙で特定の候補者の当選を得ることを直接の目的とする行為である。一方「政治活動」は、政党その他の政治団体が、その綱領の普及や党勢の拡大を図る行為である。選挙の公正確保という観点から、現行の公職選挙法は選挙運動のための戸別訪問を禁止し、文書図画の頒布も制限している。

問45　○　公職選挙法の連座の規定の範囲は、総括主宰者、出納責任者だけでなく候補者の父母、配偶者、子、兄弟姉妹、秘書にも及ぶ。

問46　○　社会主義陣営の封じ込めは、当時のアメリカの大統領トルーマンの名を取ってトルーマン・ドクトリンといわれている。西欧諸国の経済的復興と自立支援を盛り込んだマーシャルプランを実施した。

問47　×　冷戦後も世界は不安定のままで、各地で地域紛争や民族紛争が勃発している。その最たるものが湾岸戦争である。

問48　○　慣習国際法は長い間の慣行が法としてみなされるようになったもので不文の法である。公海自由の原則とは、領海外の公海がどの国の支配にもおかれない自由な海であるとするものである。

問49　○　国連の安全保障理事会は、国際司法裁判所の判決に従わない国に対して、勧告・強制措置をとることができる。

問50　×　国際連合の安全保障理事会は大国一致の原則で運営される。大国一致の原則とは理事会の決定には手続き事項を除いて、5か国の常任理事国すべての賛成を必要とすることを意味している。設問文後半は妥当である。

次の記述を読んで、解答群から正解を 1 つ選べ。

問51 check! □□□

次の a から e のわが国の防衛問題に関する事柄を年代の古い順に並べたものとして正しいものはどれか。

a　自衛隊の掃海艇がペルシャ湾に出動する。
b　国会において非核三原則を決議する。
c　PKO 協力法（国際平和維持活動協力法）が成立し、自衛隊がカンボジアに派遣される。
d　政府は「防衛計画の大綱」を決定し、防衛費 GNP1％枠を閣議決定する。
e　新「日米防衛協力のための指針」を決定する。

1　d → b → a → c → e
2　b → c → d → e → a
3　b → d → a → c → e
4　d → b → e → c → a
5　b → d → c → a → e

問52 check! □□□

次の a から e の民主政治のあゆみに関する事柄を年代の古い順に並べたものとして正しいものを選べ。

a　アメリカでリンカンが奴隷解放宣言をする。
b　フランスで王政が廃止される。
c　アメリカで違憲立法審査権が確立する。
d　ドイツでワイマール憲法が成立する。
e　イギリスでチャーチスト運動が始まる。

1　c → b → e → d → a
2　b → c → a → e → d
3　c → a → b → e → d
4　b → c → e → a → d
5　b → c → d → a → e

問51　正解3

b　国会において非核三原則を決議する（1971年）。

d　政府は「防衛計画の大綱」を決定し、防衛費GNP1％枠を閣議決定する（1976年）。

a　自衛隊の掃海艇がペルシャ湾に出動する（1991年）。

c　PKO協力法（国際平和維持活動協力法）が成立し、自衛隊がカンボジアに派遣される（1992年）。

e　新「日米防衛協力のための指針」を決定する（2015年）。

　　非核三原則とは、核兵器を「作らず、持たず、持ち込ませず」をいい、佐藤首相が国会答弁で言明し、1971年に国会で決議された。その後、防衛費予算をGNPの1％以内にするなどの閣議決定をして、核戦争の脅威に対する日本の平和主義は国際的に高く評価されたが、冷戦終結後イラクのクウェート侵攻に始まった湾岸戦争（1990年）をきっかけとして平和維持活動を求める国際世論の高まりを受けた。ペルシャ湾への掃海艇派遣を皮切りに、カンボジアなどへ自衛隊が派遣された。「日米防衛協力のための指針」は、1997年と2015年に見直され、日米安全保障協議委員会で了承された。

問52　正解4

b　フランスで王政が廃止される（1792年）。

c　アメリカで違憲立法審査権が確立する（1803年）。

e　イギリスでチャーチスト運動が始まる（1838年）。

a　アメリカでリンカンが奴隷解放宣言をする（1863年）。

d　ドイツでワイマール憲法が成立する（1919年）。

　　民主政治の基本原理はロックとルソーらの社会契約説に端を発する。アメリカの独立戦争、フランス革命はこうした民主主義の思想に支えられたものである。アメリカでは、完全分離型の三権分立制が定められ、連邦最高裁判所が立法権を持つ連邦議会に対して違憲立法審査権を持つに至った。しかし奴隷解放をめぐって南北間の対立が激化、解放宣言後も完全な解決には至らなかった。チャーチスト運動は史上初の労働者による組織的政治運動で、普通選挙制を目指したが実現できず、20世紀民主主義憲法の先駆けはワイマール憲法を待たなければならなかった。

次の記述で、正しいものには〇、誤っているものには×を付けよ。

問 1
check!
☐☐☐
18世紀のイギリスで起こった産業革命を通して確立した資本主義経済は、生産手段の私有と市場経済での自由競争を特徴としている。

問 2
check!
☐☐☐
政府は民間の経済活動を保護せず、また干渉もしない自由放任政策をとるのがもっとも良いと考えられていたが、市場経済の下では景気循環や経済的不平等が生まれた。これに対処するため政府が財政政策や金融政策を通じて経済活動に介入するようになったが、これを修正資本主義という。

問 3
check!
☐☐☐
現在の資本主義経済は、利潤の獲得等私的利益を追求する私的経済部門と同時に、経済計画を立て景気の安定や完全雇用の達成といった社会的利益を追求する公的経済部門が併存することから、社会主義市場経済といわれている。

問 4
check!
☐☐☐
マルクスやエンゲルスにより理論が構築され、レーニン等によって実現された社会主義経済は中央政府による計画経済、生産手段の社会的所有を特徴としていたが、経済の停滞や混乱が深刻化した。

問 5
check!
☐☐☐
資本主義経済では、生産や流通の主体である企業、消費活動の主体である消費者、経済活動全体を調整する経済政策の主体である政府の3つの経済主体がある。

問 6
check!
☐☐☐
現代の法人企業の代表的な形態である株式会社では、所有と経営の分離が進んでいるが、日本では株主が企業の所有者という意識が強く、株主を重視した経営が進められてきた。

問 7
check!
☐☐☐
市場価格は需要と供給との関係で決まるが、市場価格には経済全体の需要と供給を一致させる価格の自動調節機能という作用がある。

問1　○　土地・機械・原材料を所有する資本家は、利潤の獲得を目的に労働者を雇い、財・サービスを生産する。そして利潤をより多く獲得するため、市場経済での自由競争の下で競争を行う。

問2　○　修正資本主義を理論的に支えたのがケインズ経済学で、経済の雇用や生産の大きさは有効需要の大きさで決まるとして、失業者が増加した場合等には、政府が積極的に経済に介入し、有効需要を創出すべきと説いた。

問3　×　設問文のような経済は混合経済という。社会主義市場経済は中国のように社会主義政治の下で、市場経済が導入され重視されている経済のことをいう。

問4　○　中国や旧ソ連等の社会主義経済では、官僚の権限の肥大化、資源利用の非効率化等により、資本主義国に対して遅れをとるようになり、市場原理の導入や資本主義国の企業の進出を受け入れるようになっている。

問5　×　消費活動の主体は家計という。用語の誤りである。これら3つの経済主体が財・サービスを取引して経済活動が営まれ、これを経済循環という。なお、3つの経済主体の間の資金の流通を円滑にするのが金融機関である。

問6　×　日本では株主が企業の所有者であるという意識が弱く、株主が軽視されているといわれてきた。近年になって、ようやく株主による企業統治（コーポレート・ガバナンス）に目が向けられるようになった。

問7　○　価格が高く、供給が需要を上回ると売れ残りが出るために価格は下がる。逆に価格が低く、需要が供給を上回ると品不足に陥り価格は上がる。このように価格が上下することにより需要と供給とは一致する。

次の記述で、正しいものには〇、誤っているものには×を付けよ。

問8
check!
☐☐☐

市場の失敗と呼ばれるもののなかには、ある経済主体の活動が市場を通さないで他の経済主体の利益になる外部経済と、公害のように他の経済主体の不利益になる外部不経済がある。

問9
check!
☐☐☐

市場独占の形態には単一企業が市場を独占するほかに、複数の企業が価格、生産量、販売地域等を協定するトラストがある。

問10
check!
☐☐☐

国や地方公共団体が行う経済活動を財政というが、これには資源配分機能、所得再配分機能、景気調整機能の3つの機能がある。

問11
check!
☐☐☐

財政投融資計画に基づく投資、融資の対象は政府系金融機関、独立行政法人、地方財政などであり、その運用については国会の議決を必要としない。

問12
check!
☐☐☐

赤字国債は政府一般会計の不足を補填するために発行される公債であるが、わが国の財政法では発行が禁止されており、赤字国債は発行されていない。

問13
check!
☐☐☐

わが国の税制は戦後、シャウプ勧告（1949年）によって間接税を中心とする税体系に改革された。

問14
check!
☐☐☐

福祉財源の確保や財政の健全化のため1989年に行われた税制改革では、消費税が導入され直間比率の見直しが進められた。

問8　○　市場の失敗にはこのほか、規模の利益が働く場合、独占や寡占が生まれ価格が高く設定されたり十分な量が供給されないという問題、民間部門の自由な経済活動によっては道路等の公共財が供給されない、といった問題がある。

問9　×　複数の企業が価格、生産量、販売地域等を協定するのはカルテルである。トラストは企業合同のこと。同一産業内の企業が競争を排除し、1つの企業として合併したものである。

問10　○　市場では供給されない公共財・サービスを供給することを資源配分機能、累進課税制度により徴税し社会保障制度を通じて所得の不平等を是正するのが所得再配分機能、税や社会保障制度で財政支出の増減を通じて景気変動の緩和を図るのが景気調整機能である。

問11　×　5年以上の長期運用分については国会の議決が必要である。財政投融資は第二の予算ともいわれ、国債（財投債）の発行を通じて金融市場から調達した資金を、政府が支援する事業に融資する。

問12　×　わが国では財政法により国債発行が制限されてきたが、1965年の補正予算で戦後初めて赤字国債が発行されて以来、赤字国債の残高は増加している。建設国債の残高も増加しており、両者の利払いが大きな財政負担になっている。

問13　×　シャウプ勧告は、経済の安定、安定的な税制、均衡のとれた公平な税制、地方自治確立のための地方財政の強化、強力な徴税執行体制の整備等を含む税制全般にわたるものであったが、所得税（直接税）を中心とした税制であり、基礎控除額を引き上げて負担を軽減する一方、その減収分は累進課税により高額所得者から徴税した。

問14　○　このときの改革は、高齢化社会のための福祉資金の確保、赤字国債の累積残高の増大に対処するため租税に占める間接税の割合を高めようとしたものであるが、消費税には低額所得者ほど負担割合が大きくなるという逆進性が指摘されている。

次の記述で、正しいものには○、誤っているものには×を付けよ。

問 15 check! □□□
貨幣の機能には財・サービスの価値を表わす価値尺度、財・サービスの交換の仲立ちをする交換手段、価値を保持しておくための価値貯蔵等がある。

問 16 check! □□□
社会全体の資金の流れをみると、財・サービスの対価としての流れと、企業の余剰資金が政府や家計に貸し出される貸借の流れがある。

問 17 check! □□□
余裕資金を持つ供給者と資金が必要な需要者の間で行われる資金の融通を金融というが、企業が株式や社債を発行して資金を調達することを直接金融、銀行等の金融機関から資金を借り入れて調達することを間接金融という。

問 18 check! □□□
銀行は新たに預金を受け入れると、その預金の一定額を資金を必要とする企業等に貸し出すが、銀行全体でみたときにも貸出額は当初の預金額と等しいか、それ以下である。

問 19 check! □□□
中央銀行である日本銀行が行う金融政策には支払準備率操作があるが、不況のとき日本銀行は支払準備率を上げて通貨供給量を減らそうとする。

問 20 check! □□□
通貨制度には中央銀行が金の保有量に応じて、金と自由に交換できる兌換銀行券を発行する金本位制度と、金との交換はできないが政府がその購買力を保証する不換銀行券を発行する管理通貨制度がある。

問 21 check! □□□
日本銀行の働きである「銀行の銀行」とは、政府に代わって税金などの国庫金の保管および出納を行うことを意味している。

問15　○　このほか、支払手段、営利手段としても利用されている。

問16　×　「企業」の余剰資金ではなく、「家計」の余剰資金である。貸借の流れは、家計が支出した残りを貯蓄し、その貯蓄が企業や政府に流れる。政府は歳出が歳入を上回る場合に公債を発行して家計の貯蓄を借り入れる。

問17　○　企業は、設問文にあるようなかたちで資金を調達することが多いが、このほかに内部留保金を利用する自己金融や他の企業から借り入れる場合もある。

問18　×　銀行は新たに預金を受け入れると預金の一定割合を支払準備金として中央銀行に預け、残りを貸し出す。貸し出された資金は借り入れた企業等が支払いにあて、代金を受け取る側の指定する銀行に振り込まれる。その振込みを受けた銀行は支払準備金にあてた残りを貸し出す。このような行為が繰り返されると、銀行全体としての貸出額は当初の預金額を上回る額になる。これを信用創造という。

問19　×　不況のときには通貨供給を増やし、貸出しを増加して投資等を活発にしようとする。銀行の信用創造は預金準備率が低いほど大きくなり、通貨供給量も増えるので不況期には預金準備率を下げるのが一般的。日本銀行の金融政策にはこの他に、公開市場操作がある。

問20　○　過去は金本位制度が主流であったが、金保有量に制約され景気動向に応じた通貨の量の増減がむずかしかった。1929年の世界恐慌をきっかけに景気回復策を進めた各国は、金保有量に制約されず通貨を発行できる管理通貨制度に移行した。

問21　×　設問文の内容は「政府の銀行」に関する記述である。「銀行の銀行」とは市中銀行に資金を貸し付けたり、市中銀行の預金の一定割合を準備預金として預かったりすることである。

次の記述で、正しいものには〇、誤っているものには×を付けよ。

問 22
check!
□□□
経済が不況期であるとき、中央銀行は預金準備率を引き上げ、市場へ国債を売るなどの金融引締め政策を行うことが有効である。

問 23
check!
□□□
金融の自由化を表わす動きの１つとして、経営効率の悪い金融機関の存続を目的として銀行の預金金利を横並びにした護送船団方式を廃し、各銀行が自由に金利を設定できるようにして競争原理を導入した。

問 24
check!
□□□
国内総生産（GDP）は、１年間に国内で生産された付加価値の合計であるが、このなかには生産に使用した工場や機械設備の価値の目減り分である固定資本減耗は含まれない。

問 25
check!
□□□
フローで計った国民所得が、前年から今年にかけて増加した割合を経済成長率というが、物価上昇率分を考慮したものを名目経済成長率と呼ぶ。

問 26
check!
□□□
ペイオフとは、金融機関が破綻した場合の預金の払戻しを、政府が全額保証する制度である。預金者保護のために 2002 年4 月から、定期預金など段階的にペイオフが実施されて、2005 年 4 月からは全面解禁となった。

問 27
check!
□□□
コスト・プッシュインフレーションとは、労働生産性の上昇率に部門間で格差があるとき、労働生産性の低い部門は高い部門に比べて賃金の上昇分を商品価格に転嫁させるため起きる物価上昇のことである。

問 28
check!
□□□
主に公益事業分野では、政府が民間企業の経済活動に介入して規制を行っていたが、近年ではその規制を緩和してだれもが市場に参入できるようにしている。

問22　×　設問文の内容は、経済が好況期にあるときの金融政策のケースである。不況期であるときには、預金準備率を引き下げて民間への貸出しをしやすくしたり、市場に介入して国債を購入するなどの買いオペレーションを行う金融緩和政策が有効である。

問23　○　金融の自由化とは金融業界に競争原理を導入することで、設問文後半に述べた金利の自由化と他の金融機関が専門としている金融業務に参入できるように垣根を取り払った金融業務の自由化の2つを、具体的に挙げることができる。

問24　×　ＧＤＰには固定資本減耗が含まれる。ちなみにＧＤＰから固定資本減耗を差し引いたものを国内純生産（ＮＤＰ）と呼んでいる。

問25　×　設問文の前半部は妥当であるが、後半の物価上昇率を考慮したものは実質経済成長率と呼んでいる。

問26　×　ペイオフとは、金融機関が破綻した場合に預金などにつき預金者一人当たり元本1,000万円とその利息までを限度に預金を払い戻すことをいう。設問文後半の記述は正しい。当初は2001年4月に解禁されるはずであったが、延期された。

問27　×　設問文の内容は生産性格差インフレーションについてのものである。コスト・プッシュインフレーションとは、企業側の賃金や原材料費などの生産コストの上昇が原因で起きる物価上昇のことである。

問28　○　規制による非効率を改善し、競争原理を導入することが規制緩和である。

次の記述で、正しいものには〇、誤っているものには×を付けよ。

問 29
check!
□□□
日本経済は高度経済成長を達成した 1970 年以降も保護主義的な輸入制限を続け、1980 年代に入ってようやく貿易の自由化が進み始めた。

問 30
check!
□□□
国際分業とは国民経済間での分業のことをいい、なかでも同じ経済水準の先進国同士でよく見られる分業を垂直的分業と呼ぶ。

問 31
check!
□□□
比較生産費説を唱えたリカードは、国内産業を保護、育成するために、国家が貿易を管理、統制すべきであるとする保護貿易を主張した。

問 32
check!
□□□
国際収支は経常収支と資本収支に大別され、経常収支の大幅な黒字は貿易摩擦の原因となる。

問 33
check!
□□□
1 ドルが 200 円であったものが 100 円になったとき円の価値が上昇したというが、円高は日本が外国からの輸入を行う際に不利な状況となる。

問 34
check!
□□□
1985 年のプラザ合意以降、日本の対ドル為替レートは円高傾向となり、その結果として国内の輸出産業は海外生産をするようになった。

問 35
check!
□□□
1971 年の世界的な株価大暴落によって、これまで維持し続けてきた固定為替相場制は変動相場制へと移行することになった。

問 36
check!
□□□
1990 年代における国際通貨危機の特徴は、新興市場に流入して土地や株式などの投機に向かった短期資金が、バブル崩壊後いっせいに流出した点にある。

問 37
check!
□□□
外国為替相場の安定を図るＩＭＦと国際貿易の拡大を目指すＧＡＴＴによって形成された、第二次世界大戦後の国際経済体制のことをブレトン＝ウッズ体制という。

問29　×　日本経済は1960年に「貿易・為替自由化計画大綱」を決定し、貿易の自由化を進めていった。その後1963年にはGATT11条国になり、国際収支上の理由での輸入制限ができなくなっていった。

問30　×　同じ経済水準の先進国同士の分業を水平的分業という。それぞれの国が種類の異なる工業製品の生産に特化している。垂直的分業は先進国と発展途上国との間で行われる分業のことである。

問31　×　リカードが主張したのは、国家による貿易への介入を否定した自由貿易である。保護貿易を主張したのは、ドイツのリスト等である。

問32　○　経常収支は貿易・サービス収支、所得収支、経常移転収支の合計から成り、資本収支は投資収支、その他の資本収支から成る。

問33　×　設問文前半は妥当だが後半が誤り。円高は外国製品を輸入するときには有利な状況となる。例えば、ドル建てで換算した場合、1ドル＝200円のときに牛肉100ドル分を輸入すれば2万円の支払いになるが、1ドル＝100円の円高になれば、牛肉100ドル分は1万円の支払いで済むことになる。これとは反対に、日本が輸出する際には、不利な状況となる。

問34　○　プラザ合意後1年程で1ドル240円台から140円台まで急速に円高が進んだことで、輸出産業は海外生産を進め、輸入が増大した。

問35　×　変動相場制へのきっかけは、1971年のニクソンショック（金・ドル交換停止）によるものである。世界的な株価大暴落（通称：ブラックマンデー）は1987年のことである。

問36　○　1997年のタイ・バーツの金融危機はインドネシア、マレーシア、韓国などに波及していった。これらの国々はIMFから1,000億ドル以上もの支援を受け、経済の建て直しを図った。

問37　○　またはIMF＝GATT体制ともいう。

次の記述を読んで、解答群から正解を 1 つ選べ。

問 38
check!
□□□

次のａからｅのわが国の労働運動に関する事柄を年代の古い順に並べたものとして正しいものを選べ。

a　国際労働機関（ＩＬＯ）に復帰する。

b　民間 6 単産春季賃上げ共闘会議総決起大会（春闘方式開始）。

c　初めてのメーデー。

d　公務員などの争議行動の禁止。

e　スト規制法の制定（電気事業、石炭鉱業における争議行為の規制）。

1　c　→　d　→　e　→　b　→　a

2　b　→　c　→　a　→　d　→　e

3　c　→　a　→　d　→　b　→　e

4　c　→　d　→　a　→　e　→　b

5　d　→　e　→　c　→　a　→　b

問 39
check!
□□□

次のａからｅの国際通貨制度に関する事柄を年代の古い順に並べたものとして正しいものを選べ。

a　プラザ合意によってドル高が是正される。

b　金とドルとの交換が停止される。

c　1 ドルが 100 円を突破した。

d　キングストン協定で変動相場制が正式承認された。

e　日本がＩＭＦと世界銀行に加盟した。

1　e　→　b　→　d　→　a　→　c

2　e　→　b　→　a　→　d　→　c

3　e　→　a　→　b　→　d　→　c

4　b　→　d　→　e　→　a　→　c

5　b　→　e　→　d　→　a　→　c

問38　正解 4

c　初めてのメーデー（1920年）。1936年に禁止され、1946年に復活。

d　公務員などの争議行動の禁止（1948年）。

a　国際労働機関（ILO）に復帰する（1951年）。

e　スト規制法の制定（電気事業、石炭鉱業における争議行為の規制）（1953年）。

b　民間6単産春季賃上げ共闘会議総決起大会（春闘方式開始）（1955年）。

　　　　わが国初のメーデーは、ILOに加盟した翌年（1920年）であるが、その後の思想統制により労働運動は弾圧された。戦後、労働者の争議権が合法化されたが、業務の公益性や産業の特殊性などから公務員などの争議権や電気事業などにおけるストは規制された。ILOは、労働条件の改善を国際的に実現することを目標に設立され、わが国は戦前にも加盟していたがその後脱退し、1951年に復帰した。総評は、全国的労働団体で1950年に設立され、1955年賃上げ要求を掲げて毎春全国規模で展開する活動をスタートさせた。以後、高度成長とともに定着したが、最近では使命を終えたともいわれる。

問39　正解 1

e　日本がIMFと世界銀行に加盟した（1952年）。

b　金とドルとの交換停止（1971年）。

d　キングストン協定で変動相場制が正式承認された（1976年）。

a　プラザ合意によってドル高が是正される（1985年）。

c　1ドルが100円を突破した（1994年）。

　　　　第二次世界大戦後の国際通貨制度の安定を目指すブレトン＝ウッズ協定に基づき発足したのがIMFと国際復興開発銀行（世界銀行）で、わが国が加盟したのは1952年のことである。IMF体制の特徴の1つが為替レートを固定することにあったが、1958年以降アメリカの国際収支が赤字傾向となり、金投機の大量発生を招き、1971年にニクソン大統領は金とドルの交換を停止する措置を決めた。その後も為替レートは不安定になり、1976年のキングストン協定でブレトン＝ウッズ体制は崩壊した。

　　　　1985年のG5蔵相会議では過度のドル高を是正することで合意（プラザ合意）、当時1ドル＝240円台だったものがこれを機に円高に転じ、1994年には1ドル＝100円を突破した。

次の記述で、正しいものには〇、誤っているものには×を付けよ。

問1
check!
□□□
哲人政治とは知恵に優れた哲学者が政治を行う政治形態で、正義が実現された理想国家になる源であるとソクラテスは主張する。

問2
check!
□□□
ヘレニズム時代の思想であるエピクロス派は、禁欲主義に立って喜怒哀楽の情念に動かされない状態に徹することを強調した。

問3
check!
□□□
他人に対する心の持ち方について孔子は、真心から人に接して人を欺かないこととする「信」を説いた。

問4
check!
□□□
老子における柔弱謙下とは、世俗への執着心を捨て柔和で弱々しそうな、常に人の下手に出て人と争わない状態をいう。

問5
check!
□□□
イスラム教の宗教的実践である五行とは、信仰告白、断食、礼拝、思索、巡礼から成るものである。

問6
check!
□□□
ウパニシャッド哲学が説く梵我一如(ぼんがいちにょ)の梵とは、われわれのうちにある生命、精神の根源であり、永久不変のものである。

問7
check!
□□□
キリスト教では祈りが重視されるのに対して、仏教では瞑想が重視され悟りを得ることが重要である。

問8
check!
□□□
空海は高野山金剛峰寺を拠点に真言宗を説き、法華経を中心にしてすべて生あるものは仏となる可能性を備えていると主張した。

問9
check!
□□□
日蓮は法華経を南無妙法蓮華経という題目に単純化し、道元や親鸞はひたすら坐禅をして身を捨てることを教えた。

問10
check!
□□□
ローマ・カトリック教会が販売した贖宥状（しょくゆうじょう）に対して、ルターは「95か条の意見書」を張り出して反対した。

倫
理

問1　×　哲人政治はプラトンの考えである。

問2　×　設問文はストア派の考えである。エピクロス派はエピクロスを祖とする思想で、せつな的な肉体的快楽ではなく、永続する精神的快楽に真の幸福があるとする快楽主義の立場に立っている。

問3　○　このほかに「克己」（自分のわがまま、私利私欲を抑えること）、「恕」（人の心を思いやること）、「忠」（常に自分を欺かないこと）を説いている。

問4　○　老子は「天下の柔弱は水にすぐるものなし」と説いている。

問5　×　思索が誤り。正しくは喜捨（宗教上の救貧税）である。

問6　×　設問文は「我（アートマン）」に対する説明である。「梵（ブラフマン）」とは宇宙の根源にある最高の原理、万物の本体のことである。

問7　○　キリスト教は信仰がすべての中心になっている。これに対して仏教は「一切の苦しみから解放されたければこの宇宙をつらぬく真理である縁起の法を洞察せよ」というように、悟りを得ることが重要である。

問8　×　設問文後半は最澄の考えである。空海は宇宙のあらゆる現象は大日如来の動きによると説き、密教の教える修行をすれば即身成仏できると主張している。

問9　×　日蓮に対する記述は妥当だが、後半の親鸞が誤り。親鸞や法然はひたすら阿弥陀仏を信じ、南無阿弥陀仏と念仏することを教えた。道元は設問文通りで正しい。

問10　○　贖宥状（しょくゆうじょう）とは、これを買えば犯した罪が許されるとしたもので、教会の資金集めのために販売された。このルターの活動が宗教改革の始まりとなっている。

次の記述で、正しいものには〇、誤っているものには×を付けよ。

問11
check!
□□□
臨済宗の僧侶であった藤原惺窩は還俗して儒教を広めたが、彼の系統を京学と呼ぶ。

問12
check!
□□□
中江藤樹に始まり、熊沢蕃山が引き継いだ陽明学に影響を受けた儒教は、その後大きな勢力を持つに至った。

問13
check!
□□□
二宮尊徳は世界を支配するものを天道と人道に分け、人間を豊かにするのは農作物の収穫を支配する天道にあるとした。

問14
check!
□□□
福沢諭吉は日本が文明国になるには実学を通して合理的な精神を身に付けることが重要であると説いた。

問15
check!
□□□
吉野作造は民本主義という考え方で自由民権運動を先導した。

問16
check!
□□□
ベンサムは、多くの快楽をもたらす行為がよい行為であり、快楽の量は可測的で快苦の強さや持続性等を基準として比較し計算する快楽計算が可能だと主張した。

問17
check!
□□□
キルケゴールはいつ、どこでも、だれにでも通用する真理を重要視した。

問18
check!
□□□
ニーチェはキリスト教道徳を奴隷道徳ととらえ、それが神などの絶対的価値を否定するニヒリズムをもたらしたと主張した。

問11　○　中国から伝わった朱子学は臨済宗の僧侶に影響を与え、江戸時代に入るとこのような僧侶が仏教から独立して儒教を広めた。藤原惺窩もその１人。

問12　×　設問文前半は正しいが、陽明学派が大きな流派になることはなかった。江戸時代の儒教の系統には、このほかに朱子学派、古学派があった。

問13　×　人間を豊かにするのは勤労と倹約を中心とした人道にあるとした。勤労と倹約によって生活の余裕を残すことを分度、その余裕をもって社会に貢献することを推譲と呼んだ。二宮尊徳の考え方は報徳思想として継承された。

問14　○　福沢諭吉のいう実学は、日常の役に立つと同時に物事を合理的に考え、主体的に判断できる能力を付ける学問。福沢は文明国になるには独立自尊の精神も重要であるとした。

問15　×　民本主義は大正デモクラシーを先導した。吉野は政治の目的は民衆の利福にあると主張、民本主義は普通選挙や政党内閣の理論的支えになった。

問16　○　ベンサムの主張に対してJ.S.ミルは精神世界の必要性を主張し、快楽には質的に異なり量を計算できない精神的な幸福があるとし、幸福は計算できないと主張している。

問17　×　キルケゴールは個別具体的な自分自身にとっての真理、本来的実存を重視し、本来的実存に至る経路を美的実存・倫理的実存・宗教的実存の３段階に分けた。

問18　○　ニーチェは既成の価値観をくつがえして、力への意志に従って新しい価値を創造するのが人間本来のあり方とし、禁欲的なキリスト教が人間本来のあり方をゆがめ、無力化させたと主張した。

次の記述で、正しいものには〇、誤っているものには×を付けよ。

問 19 check!
□□□
ロールズは、不平等は社会でもっとも不遇な人々の利益を最大化する場合のみ許されると主張し、これを機会均等原理と呼んだ。

問 20 check!
□□□
インド独立運動の指導者であったガンジーは、自分たちの抵抗運動にサティヤーグラハという名を付けた。

問 21 check!
□□□
イスラームは、ユダヤ教、キリスト教と同じく、唯一神を信じる一神教である。

問 22 check!
□□□
イスラームでは、「クルアーン（コーラン）」以外の聖典は認めていない。

問 23 check!
□□□
欲求不満に対して心の安定を図り適応するしかたには合理的解決、近道反応、防衛機制の３つがあるが、防衛機制は事実を認めたり、欲求を抑制したりして目標達成を図り、問題を根本的に解決する適応のしかたである。

問 24 check!
□□□
大人としての責務が課せられず、保護された環境のなかで試行錯誤をしながら自己形成を図る青年期はモラトリアムと特徴付けられている。

問 25 check!
□□□
延命のための治療をして苦痛のなかで生きたり、意識のないまま生きるより、人間らしい自然な死を選ぶ考え方を尊厳死という。

問19　×　ロールズは社会正義の原理として、平等な自由の原理、機会均等原理、格差原理を唱えたが、設問文の内容は格差原理の内容である。

問20　○　ガンジーの非暴力主義は有名だが、サティヤーグラハは真理の原理という意味で、このなかには不殺生という非暴力の精神がこめられていた。

問21　○　イスラームは、アッラーを唯一絶対の神とする一神教で、ユダヤ教、キリスト教も同じ神から啓示を受けたとする。

問22　×　イスラームでは、ユダヤ教とキリスト教の聖典も聖典として認めるが、「クルアーン（コーラン）」が最も大切な聖典であるとしている。また、旧約聖書の預言者やイエスも預言者として認めるが、ムハンマドこそ最大にして最後の預言者であるとしている。

問23　×　設問文後半の防衛機制の説明は合理的解決についてのものである。防衛機制は一時的な適応のしかたで抑制、合理化、同一視、投射、反動形成、逃避、退行、代償、昇華がある。

問24　○　モラトリアムは元々は支払い猶予期間の意味であったが、アメリカの心理学者エリクソンが青年期を特徴付ける言葉として用いた。最近は進路の決定をせずに、いつまでも猶予期間に置くモラトリアム人間が増えているといわれる。

問25　○　医療が発達して人工呼吸器や生命維持装置を使って、末期患者の死期を延ばすことができるようになったが、これを望まない患者やその家族も多い。アメリカでは植物状態の患者の延命措置を拒絶する権利を認めたカレン＝クインラン判決がある。

次の記述を読んで、解答群から正解を1つ選べ。

問 26
check!
☐☐☐

実存主義に関する以下の記述のうち、もっとも妥当であるものを1つだけ選べ。

1 ニーチェは、美的実存・倫理的実存・宗教的実存からなる実存の3段階を提唱した。

2 主体的心理とはキルケゴール哲学の中心概念であり、自分にとって真理であるような真理のことである。

3 ハイデガーのいう限界状況とは、死、苦しみ、争い、罪責、偶然のような人間の力ではどうすることもできない状況のことである。

4 サルトルは、人間は自分の存在の終わりである死を自覚できる存在であるということを「死への存在」と名付けた。

5 ヤスパースは、「実存は本質に先立つ」と表現し、人間は自ら作るもの以外の何者でもないとした。

問 27
check!
☐☐☐

以下の記述のうち、孔子の言葉ではないものが1つだけある。その番号を選べ。

1 君子は和して同ぜず、小人は同じて和せず。

2 上善は水のごとし。水は善く万物を利してしかも争わず。衆人のにくむところにおる。故に道にちかし。

3 学びて思わざればすなわちくらく、思いて学ばざればすなわちあやうし。

4 その身正しければ、令せずして行なわれ、その身正しからざれば令すといえども従わず。

5 過ちて改めざる、これをすなわち過ちという。

問26　正解2

1　実存の3段階はキルケゴールの基本思想である。

3　限界状況はヤスパースによる思想である。

4　設問文の内容はハイデガーについてのものである。

5　設問文の内容はサルトルについてのものである。

問27　正解2

　　　2は老子の言葉であるが、そのほかはすべて『論語』の内容である。

　　　孔子が仁と礼とを倫理的行為の根本に置き、徳治政治を理想としたのに対して、老子は宇宙の根本を道や無と名付け、これに適合する無為自然への復帰を人間のあるべき姿と説いた。そうした考え方を表わしたのが2の言葉である。水とは、万物に利益を与えて争わず、低い所に位置するものである。また、あらゆるもののなかでもっとも柔らかいが、固い岩をも砕く。すなわち水を無為自然を表わすものとして捉え、水のように柔らかくへりくだった生き方を理想とした。

次の記述で、正しいものには〇、誤っているものには×を付けよ。

問1
check!
□□□

わが国の中小企業の特徴である下請とは、中小企業が大企業から資金提供や経営参加を受け、継続的な取引関係を結ぶことをいう。

問2
check!
□□□

知識集約的な労働に特化し、新技術や専門知識を駆使して独自のアイデアを創造する経営を行っている中小企業をベンチャー企業という。

問3
check!
□□□

わが国の農業は外国の安い農産物の輸入に押されつつも、コメに代表されるように依然として高い食糧自給率を維持している。

問4
check!
□□□

コンビニエンスストアなどの小売店では、POSシステムを導入して効率的な売上管理や在庫管理、商品管理を行っている。

問5
check!
□□□

資源循環型社会への転換に向けて、2001年には容器包装リサイクル法が成立し、ごみの減量やリサイクルが始まった。

問6
check!
□□□

ナショナルトラスト運動は一般市民が直接参加する環境保全運動であり、国民の寄付を基金として優れた自然や歴史的環境を持つ土地の購入、管理をするものである。

問7
check!
□□□

1992年の地球サミットでは、持続可能な発展を共通理念として、「人間環境宣言」が採択された。

問8
check!
□□□

1970年の公害国会で公害対策基本法が成立し、公害防止に対する事業者、国、地方公共団体の責務が明らかにされた。

問9
check!
□□□

都市型公害や生活型公害の特徴は、加害者が特定しにくく被害者も場合によっては加害者になるという点にある。

問1　×　設問文の内容は系列化に対する説明である。下請とは中小企業が大企業の注文を受けて製品や部品の製造・加工をすることをいう。

問2　○　ベンチャービジネスはエレクトロニクス、情報産業、コンサルティングなどの分野を中心に、近年では流通・サービス部門にも拡大している。

問3　×　設問文前半は妥当であるが、後半の食糧自給率は低下している。コメについても、1993年のウルグアイ・ラウンドで市場開放が義務付けられるようになった。

問4　○　POSシステムは商品の販売時点で、商品名、金額、時間などがコンピューターに伝達されるシステムで、その店の売れ筋をデータで把握し、効率的に商品を店頭に並べることができる。

問5　×　容器包装リサイクル法は1995年に成立しており、2000年から完全実施となった。同じく2000年には循環型社会形成推進基本法が成立した。

問6　○　具体的な運動として埼玉県狭山丘陵の「トトロのふるさと基金」などがある。

問7　×　人間環境宣言は1972年の国連人間環境会議で採択されたものである。1992年の地球サミットでは、「環境と開発に関するリオ宣言」、その行動計画である「アジェンダ21」、「気候変動枠組み条約」、「生物多様性条約」などが採択された。

問8　×　公害対策基本法が成立したのは1967年である（1993年廃止）。1970年の公害国会では水質汚濁防止法などの公害関係14法が成立した。

問9　○　具体的には自動車の排気ガスによる大気汚染、カラオケや近隣家庭での騒音問題、産業廃棄物や一般廃棄物の急増によるごみ問題などがある。

次の記述で、正しいものには〇、誤っているものには×を付けよ。

問 10
check!
□□□
1960 年代、水力から石炭へのエネルギー革命が起こり、金属・機械などの産業が成長したが、現在では石炭に代わるエネルギー源として石油が使われるようになっている。

問 11
check!
□□□
これまで長時間労働とされてきたわが国の労働者に対して、政府が 1993 年労働基準法と時短促進法を改正し、週 40 時間制を実施したことでサービス残業などはまったくなくなった。

問 12
check!
□□□
女性労働者の雇用環境は男女雇用機会均等法の改正でますます平等になってきたが、出産後の育児のために会社を休まなければならないということに対する法的措置はまだなされていない。

問 13
check!
□□□
最近の労使関係は、従来の正規従業員に代わりパートタイマーや派遣労働者、アルバイトなどの非正規従業員の割合が増えている。

問 14
check!
□□□
スプロール現象とは、都市中心部の人口が環境悪化や地価高騰によって都市から流出し、周辺部の郊外地域などに移り、その地域の人口が増加する現象のことをいう。

問 15
check!
□□□
高度成長とともに地方から都市へ人口が集中したことで、地方ではとくに働き盛りの人口が減少する過疎化が進んでいる。

問 16
check!
□□□
余暇需要の増大を反映して、総合保養地域整備法が成立し各地にリゾート施設、ゴルフ場などが建設されたが、いまだその数は少なく今後も積極的に開発を進める必要がある。

問 17
check!
□□□
わが国では、観光を力強い経済を取り戻すための重要な成長分野と位置付け、小泉内閣のときに、観光立国推進基本法が制定された。

問10　×　1960年代に石炭から石油へのエネルギー革命が起こり、重厚長大型の産業が発展していった。石油危機以降、石油に依存したエネルギー構造からそれに変わるエネルギーの必要性が説かれている。

問11　×　設問文前半は妥当。週40時間制が規定されても、統計上現われてこないサービス残業がまったくなくなったとはいえない。

問12　×　2010年の育児介護休業法により、育児のために1歳までの子を持つ父母がともに一定期間育児休業を取得可能となった。また、2017年の法改正では条件により最長2年まで期間を延長できるようになった。設問文前半は妥当、1997年の男女雇用機会均等法改正では、雇用分野の募集、採用、配置、昇進などについても男女差別が禁止された。

問13　○　非正規従業員の割合は増え続けており、近年では就職氷河期世代の支援が始められている。

問14　×　設問文はドーナツ化現象に対する説明である。スプロール現象とは、都市への人口集中による市街地の拡大とともに、比較的安い地価の郊外に住宅地が虫食い状に拡大していく現象のことである。

問15　○　過疎化が進んだ原因は都市への人口流出のほかに、第一次産業の衰退もある。過疎化に対して政府は1990年に過疎地域活性化特別措置法を制定した。

問16　×　総合保養地域整備法は別名リゾート法ともいわれ、この法律によって各地にたくさんの施設が完成したが、そのほとんどは官民相乗りの第三セクターであり、過大投資と需要見通しの甘さから経営が行き詰まるケースが増えている。

問17　×　観光立国推進基本法が制定（2007年1月施行）されたのは、第1次安倍内閣のときである。小泉内閣では、2003年に観光立国を宣言し、観光基本法の全面改正による観光立国推進基本法制定の準備が始められた。

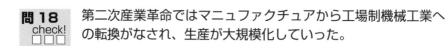

社 会　　　問 題

次の記述で、正しいものには〇、誤っているものには×を付けよ。

問 18
check!
□□□
第二次産業革命ではマニュファクチュアから工場制機械工業へ
の転換がなされ、生産が大規模化していった。

問 19
check!
□□□
バイオテクノロジーの技術は遺伝子組み換えの技術を用いて、
正常な遺伝子を細胞に組み入れるという方法で、医療技術に応
用されている。

問 20
check!
□□□
臓器移植法では、これまでの心臓停止状態の死体からの臓器移
植に加えて、脳死状態の人間の身体からの臓器移植が認められ
ている。

問 21
check!
□□□
知的財産権のなかには特許、実用新案、意匠、商標は含まれる
が企業秘密などは含まれない。

問 22
check!
□□□
経済発展とともに第三次産業の就業者の比率が高まることをペ
ティ＝クラークの法則という。

問 23
check!
□□□
1973 年の石油危機をきっかけに、従来の重厚長大産業に代
わって、エレクトロニクスや情報に関連した産業が急成長した。

問 24
check!
□□□
ＩＴ革命が進み、世界の情報を集めることができ、また情報を
発信できるようになったが、個人のプライバシーが侵されたり
政府や企業から個人情報が漏れる可能性も大きくなった。

問 25
check!
□□□
生産されるものの種類や数の決定権は、本来的には生産された
ものを使う消費者にある。これを消費者主権という。

問 26
check!
□□□
わが国では子どもの数が年々減少し、少子化が進んでいたが、
2016 年には合計特殊出生率が 1.50 まで上昇して、それ以後
1.50 を上回っている。

問 18　✕　マニュファクチュアから工場制機械工業への転換は第一次産業革命の特徴である。第二次産業革命は内燃機関や電気の利用によって起こり、生産が大規模化した。

問 19　〇　バイオテクノロジーとは生命工学という意味で、遺伝子工学、細胞工学ともいう。

問 20　〇　臓器移植法は 1997 年に成立した。脳死とは生命維持装置の助けを借りて呼吸をしていても、脳幹を含む全脳の機能が停止した状態をいう。

問 21　✕　知的財産権（知的所有権）は精神的創作や産業が活動するうえでの標識に関する権利をいい、特許、実用新案、意匠、商標といった工業所有権・著作権のほか、企業秘密、商号等も含まれる。

問 22　〇　ウイリアム゠ペティとコーリン゠クラークがそれぞれ発見した現象である。

問 23　〇　石油危機以前はいわゆる重厚長大産業といわれる鉄鋼や造船等が重要な位置を占めていたが、それ以後はエレクトロニクスや情報の関連産業の位置が高まってきた。

問 24　〇　情報技術や情報産業の発達によって情報の収集や発信が容易になった反面、個人のプライバシーが侵される可能性も大きくなった。このような問題に対処するため、個人情報保護法などが制定されている。

問 25　〇　企業の宣伝などによって消費者の欲求は影響を受け、また商品やサービスに対する正確な情報を得られず、消費者主権は形骸化している。

問 26　✕　合計特殊出生率とは、1 人の女性が生涯に産む子供の平均数の推計値で 2005 年まで過去最低を更新していたが、2015 年は 1.45 まで上昇した。その後は低下傾向が続いている。

次の記述で、正しいものには○、誤っているものには×を付けよ。

問27
check!
□□□
グローバリゼーションの進展とともに国際分業が進展し、国際市場が拡大しつつある一方、地域的経済統合により保護主義的地域ブロック化が進んでいる。

問28
check!
□□□
わが国の社会保障は社会保険、公的扶助、社会福祉、公衆衛生の4つを柱に社会保障制度が作られている。

問29
check!
□□□
わが国の社会保障費の財源確保については、とくに問題はないとされ、今後も安定した社会保障制度の運営が予測されている。

問30
check!
□□□
高齢者や障害を持つ人も含め、すべての人が社会に参加し、生活できる社会を構築しようという考え方を、ノーマライゼーションという。

問31
check!
□□□
製造物責任法（PL法）の定めでは、消費者などが製品の欠陥を立証しても、製造者や販売者に過失がなければ賠償責任はない。

問32
check!
□□□
文化活動や芸術活動に対する企業の支援活動をメセナという。

問33
check!
□□□
人種対立とは、異なる人種間の対立や部族抗争のことで、アメリカでの黒人の差別、南アフリカ共和国の黒人に対する人種隔離政策（アパルトヘイト）などがある。

問34
check!
□□□
国連難民高等弁務官事務所（UNHCR）は、世界中のすべての難民の保護と支援を行う国連機関である。

問 27　×　第二次世界大戦前の地域的経済統合は地域ブロック化を引き起こし戦争の一因ともなったが、その後の地域的経済統合は自由貿易地域拡大を目標に進められてきた。

問 28　○　社会保障制度は憲法 25 条の生存権の規定に基づいており、社会保障に関する国の責任が明確化されている。

問 29　×　少子高齢社会の進展とともに社会保障費が増大する一方、社会保障費を負担する層の減少が予測され、適正な給付水準の維持とその財源の確保が課題となっている。

問 30　○　わが国の社会保障は社会保険に比べ社会福祉サービスが遅れているといわれ、ノーマライゼーションの実現には社会福祉サービスを充実させるとともに、バリアフリー社会を作る必要がある。

問 31　×　製造者や販売者に過失がなくても賠償責任はある（無過失責任制度）。

問 32　○　メセナには大きく分けて各種の催しや寄付を行うものと、基金などを設けて美術館などを運営する方法がある。

問 33　○　南アフリカ共和国の人種隔離政策が 1991 年に廃止されるなど、人権擁護に対する国際世論などによって人種間の対立は改善のきざしを見せたが、現在でも根強く残っている。

問 34　×　国連難民高等弁務官事務所は、パレスチナ難民を除く世界各地の難民の保護と支援を行う国連機関である。パレスチナ難民は、1950 年の国連難民高等弁務官事務所発足以前から存在していたため、国連パレスチナ難民救済事業機関（UNRWA）の管理下に置かれている。

次の記述で、正しいものには〇、誤っているものには×を付けよ。

問 35
check!
□□□
IMF（国際通貨基金）は、ブレトン＝ウッズ体制崩壊後に、安定した貨幣制度を確保する目的で設立された。

問 36
check!
□□□
1995 年に設立されたＷＴＯ（世界貿易機関）は、自由貿易の確立を目指す機関であるため、いまだ中国などの社会主義国の加盟は認めてない。

問 37
check!
□□□
途上国の多くが政治的独立を果たしたものの、モノカルチャー経済から脱却できずに、先進国との経済格差が広がった。この問題は東西問題と呼ばれた。

問 38
check!
□□□
政府開発援助（ODA）の援助額はＧＮＩ（国民総所得）の 0.7％にすることが国際的な目標になっている。

問 39
check!
□□□
主要国首脳会議（サミット）は世界経済や国際政治などに関して各国の政策協調による政策運営を協議する場であるが、ロシアはメンバーに含まれていない。

問 40
check!
□□□
アジア太平洋経済圏が構想され、その実現のため ASEAN と日本で構成されるアジア太平洋経済協力（APEC）が毎年開催されている。

問 41
check!
□□□
国連貿易開発会議は、2000 年に途上国がグローバル化による利益を均等に得られるよう先進国と途上国の協調を謳った「バンコク宣言」を採択した。

問 42
check!
□□□
BRICS とは、ブラジル、ロシア、インド、中国、南アフリカの頭文字をとったもので、この 5 か国が加盟国である。

問35　×　IMF（国際通貨基金）は、第二次世界大戦後に、自由貿易の拡大と安定した国際通貨制度の確立のために調印されたブレトン＝ウッズ協定に基づき、1945年にIBRD（国際復興開発銀行）とともに設立された。

問36　×　ＷＴＯ（世界貿易機関）は、1995年にＧＡＴＴ（関税および貿易に関する一般協定）を発展させて設立された国際機関である。「社会主義市場経済」を掲げる中国も、2001年ＷＴＯに加盟した。

問37　×　途上国が南半球に多く存在し、先進国が主に北半球にあったことから南北問題と呼ばれた。近年では途上国のなかでも資源保有国や工業化に取り組んだ国々と、依然開発が遅れている国々との格差の問題が生まれ、南南問題といわれている。

問38　○　政府開発援助（ＯＤＡ）は、国が途上国や国際機関に行う経済援助で、民間の援助より金利等の条件が有利である。

問39　○　ロシアは1997年のデンバーサミットから正式参加していたが、2014年のウクライナ問題以降、参加資格を停止されている。

問40　×　アジア太平洋経済協力（ＡＰＥＣ）には、アメリカ、カナダ、オーストラリアも参加している。

問41　○　国連貿易開発会議（ＵＮＣＴＡＤ）は貿易と経済発展について途上国と先進国が交渉する場である。「バンコク宣言」が採択された第10回総会では4年間の行動計画も合意された。

問42　×　BRICSは、ブラジル、ロシア、インド、中国、南アフリカの5か国で発足したが、2024年1月にアラブ首長国連邦（UAE）、イラン、エチオピア、エジプトが加盟し、加盟国は9か国になっている。

次の記述を読んで、解答群から正解を1つ選べ。

問43 check! □□□

次のaからeのEU統合に関する事柄を年代の古い順に並べたものとして正しいものを選べ。

a　マーストリヒト条約が調印される。
b　EU（欧州連合）が発足し、市場統合が完成する。
c　EEC（欧州経済共同体）が発足する。
d　単一欧州議定書が発効になる。
e　EMS（欧州通貨制度）が発足する。

1　e → c → d → a → b
2　e → c → a → d → b
3　c → e → a → d → b
4　c → d → e → a → b
5　c → e → d → a → b

問44 check! □□□

次のaからeの情報社会成立に関する事柄を年代の古い順に並べたものとして正しいものを選べ。

a　アメリカで初のカラーテレビ放送が始まる。
b　世界のパソコン推定設置台数が1億台になる。
c　日米間で太平洋横断海底ケーブルが開通する。
d　NHK（日本放送協会）、民放のカラーテレビ放送が開始になる。
e　日本で自動車電話、携帯電話が自由化になる。

1　a → d → c → b → e
2　a → d → c → e → b
3　a → d → b → c → e
4　d → a → c → b → e
5　d → a → c → e → b

問43　正解5

c　EEC（欧州経済共同体）が発足する（1958年）。

e　EMS（欧州通貨制度）が発足する（1979年）。

d　単一欧州議定書が発効になる（1987年）。

a　マーストリヒト条約が調印される（1992年）。

b　EU（欧州連合）が発足し、市場統合が完成する（1993年）。

　　　第二次世界大戦の反省は、1つのヨーロッパを取り戻したいという願いを生み出し、1951年にECSC、1957年にはEEC設立条約締結、さらに1967年にはEC設立に至る。1979年には欧州通貨制度（EMS）が発足し、欧州通貨単位導入が決議された。1987年の単一欧州議定書では1992年末までに人・物・資本・サービスの自由移動実現をも目指すことを決議、マーストリヒト条約ではECからEUへの衣替えを図り、経済分野だけではなく政治統合も目指すことになり、1993年にはEUがスタート、2002年にはEU共通通貨であるユーロが流通した。

問44　正解1

a　アメリカで初のカラーテレビ放送が始まる（1954年）。

d　NHK（日本放送協会）、民放のカラーテレビ放送が開始になる（1960年）。

c　日米間で太平洋横断海底ケーブルが開通する（1964年）。

b　世界のパソコン推定設置台数が1億台になる（1992年）。

e　日本で自動車電話、携帯電話が自由化になる（1994年）。

　　　日本でのテレビ放送開始前の1954年にはアメリカで初のカラーテレビ放送が始まっている。その後、太平洋横断海底ケーブルが開通し、日米間で直接通信が可能になった。さらに従来の大型コンピュータから高機能・低価格のパソコンの登場で情報社会が一気に花開き、ITが時代のキーワードとなっている。

ワンポイント・レッスン

日本国憲法の定める３大集

３大原則 ・恒久平和主義 ⇨ 憲法前文、第９条
　　　　 ・基本的人権の尊重 ⇨ 第３章（第10条〜第40条）
　　　　 ・国民主権 ⇨ 憲法前文、第15条、第43条

３権分立 ・立法権 ⇨ 国会（第41条）
　　　　 ・行政権 ⇨ 内閣（第65条）
　　　　 ・司法権 ⇨ 裁判所（第76条）

３大義務 ・教育を受けさせる義務 ⇨ 第26条
　　　　 ・勤労の義務 ⇨ 第27条
　　　　 ・納税の義務 ⇨ 第30条

天皇についての日本国憲法の規定

・権能（第４条）⇨ 日本国憲法の定める国事に関する行為のみを
　　　　　　　　　 行い、国政に関する権能を有しない

・天皇の国事行為 ⇨ 憲法改正、法律・政令および条約の公布
　　（第７条）　　　国会の召集
　　　　　　　　　 衆議院の解散
　　　　　　　　　 国会議員の総選挙の施行の公示
　　　　　　　　　 国務大臣等の官吏の任免、全権委任状や大使・
　　　　　　　　　 公使の信任状の認証
　　　　　　　　　 批准書など外交文書の認証
　　　　　　　　　 大赦、特赦、減刑、刑の執行の免除および復
　　　　　　　　　 権の認証、など

・天皇の任命権 ⇨ 内閣総理大臣（国会の指名に基づいて）
　　（第６条）　　 最高裁判所長官（内閣の指名に基づいて）

選挙権と被選挙権

選挙権（18歳以上）

　衆議院議員、参議院議員、都道府県知事、都道府県議会議員、市町村長、市町村議会議員

被選挙権

　25歳以上 ⇨ 衆議院議員、都道府県議会議員、市長村長、市町村議会議員

　30歳以上 ⇨ 参議院議員、都道府県知事

Lesson 2

世界史、日本史、地理

歴史は、日本・世界に関係なく単発的なできごとを丸暗記するのではなく、時の権力者、外交関係、文化などを時間の流れのなかで把握する。とくに、重大な事件は、その原因・結果・影響を押さえておく。地理は、気候・地形などの地勢的な事項と各国の地誌的な事項とを両方押さえておく。

次の記述で、正しいものには〇、誤っているものには×を付けよ。

問1
check!
□□□

われわれ人類の直接の祖先と考えられている新人（現生人類）は、更新世（洪積世）末期に出現した人類で、クロマニョン人や周口店上洞人などが、これに属する。

問2
check!
□□□

今から約10万年前に気候が大きく変化し、気温が温暖化した。この時期に、人類は狩猟・漁労・採集による獲得経済の時代から、農耕・牧畜を行う生産経済の時代へ入った。

問3
check!
□□□

春秋戦国時代には、諸子百家が活躍した。孔子は徳治主義に基づき「修身・斉家・治国・平天下」を説いた。これに対し秦は、商鞅などの法家を採用し富国強兵に努めた。

問4
check!
□□□

前漢の武帝は、対匈奴同盟を結ぶために班超を大月氏国に派遣した。また、衛青・霍去病らに匈奴を攻撃させ、河西回廊を獲得して敦煌郡など4郡を設置した。

問5
check!
□□□

華北統一に成功した北魏の太武帝は、寇謙之の説く新天師道を国教とし、仏教を弾圧した。これが三武一宗の法難の最初である。

問1　○　現生人類（新人・ホモ＝サピエンス＝サピエンス）は、更新世（洪積世）末期に出現（南アフリカでは約10万年前）したと考えられており、約3万年前に出現したクロマニョン人は、現在の白色人種の直接の祖先である。一方、黄色人種の直接の祖先とされている周口店上洞人は、約1万8000年前に出現した人類で、北京原人が発見された周口店（北京郊外）の山頂付近で発見されたため、山頂洞人とも呼ばれている。

問2　×　設問文を「約10万年前→約1万年前」と直せば正しくなる。約200万年前から続く更新世（洪積世）は、氷河期と間氷期が繰り返された時代であった。1万年前に第4氷河期が終わり、気候が温暖化して現在まで続く完新世（沖積世）となる。この時期に人類は、獲得経済から生産経済へ（この変化を食糧生産革命という）、旧石器時代（打製石器を使用）から新石器時代（磨製石器を使用）に入る。

問3　○　孔子・孟子・荀子など儒家が主張した徳治主義に対し、商鞅・韓非・李斯など法家は法治主義を説いた。秦の孝公（しょうおう）は、商鞅（りし）を登用して郡県制の施行や咸陽遷都などの改革を行った（前4C）。また前221年に中国を統一した始皇帝は、李斯を丞相（宰相のこと）として、中央集権体制の確立に努めた。

問4　×　設問文を「班超→張騫（ちょうけん）」と直せば正しくなる。月氏は匈奴に追われてイリ地方に移動したが、そこでさらに烏孫（うそん）に圧迫され、バクトリア地方に再移住して大月氏国を建国した。同盟の使者として派遣された張騫は、途中で匈奴に抑留されながらも大月氏国にたどり着いたが、同盟交渉には失敗した。なお班超は、後漢の時代に西域都護として亀茲（きじ）（クチャ）に駐屯して活躍した人物。

問5　○　新天師道は、後漢時代に張陵が創始した五斗米道（ごとべいどう）（天師道）を発展させたもので、ここに道教が大成された。後漢初期（1世紀中期）頃に中国に伝来した仏教は、太武帝の時代に初めて大規模な弾圧を受けることになる（「三武一宗の法難」の最初）。

次の記述で、正しいものには〇、誤っているものには×を付けよ。

問6
check!
□□□

唐の玄宗時代は、「開元の治」と呼ばれる繁栄の時代であったが、晩年に楊貴妃を寵愛し政治は乱れた。このため黄巣の乱が発生し、玄宗は退位を余儀なくされる。

問7
check!
□□□

燕雲十六州の支配をめぐり遼と対立した北宋は、侵入した遼軍と対峙して澶淵の盟を結んだ。これにより、宋遼両国の関係は兄弟関係とされ、宋は遼に歳幣の支払いを約した。

問8
check!
□□□

元代には科挙も当初は廃止されて儒学は軽視された。支配層は白蓮教信仰のために交鈔を濫発するなど乱脈財政を続け、ついに紅巾の乱が発生して明朝が成立した。

問9
check!
□□□

靖康の変で帝位を簒奪して即位した永楽帝は、『永楽大典』『四書大全』『五経大全』『性理大全』などを編纂させたほか、南海諸国に朝貢を促すため、鄭和に南海遠征を命じた。

問6　×　設問文を「黄巣の乱→安史の乱」と直せば正しくなる。華北の3節度使を兼任した安禄山は、権勢を振るう宰相の楊国忠（楊貴妃の又従兄）と対立して蜂起した。このため玄宗は長安を落ちのび四川に向かったが、その途上で楊貴妃・楊国忠は、兵士に殺害された。唐室は、この安史の乱を独力では鎮圧できず、ウイグルの援軍を得てようやく鎮圧した。このためウイグルの勢力が増し、唐に絹馬貿易・茶馬貿易を強要することになる。そして、この絹はソグド商人らの手を経て、イスラム世界（アッバース朝時代）に運ばれて行くのである。

問7　○　燕雲十六州は、五代十国時代に後晋を建国した石敬瑭（せきけいとう）が、建国を支援した代償として遼に割譲した地域で、現在の北京周辺。万里の長城の南側（すなわち古来より漢民族が農耕を行っていた地域）にあるため、中国再統一を果たした北宋は燕雲十六州の奪回を目指し遼と対立したが、回復に失敗した。一方、農耕社会に進出した遼は、北面官と南面官を設置して、それぞれが遊牧民と農耕民を統治する二重統治体制を採用した。

問8　×　設問文を「白蓮教→チベット仏教」と直せば正しくなる。モンゴル帝国では、モンケ＝ハンの時代に弟のフビライが雲南・チベット遠征を行ったが、これを機にチベット仏教（ラマ教）がモンゴルに伝播し、現在でも盛んである。なお元末に起こった紅巾の乱（1351〜66年）は、白蓮教徒が起こした反乱で、このなかから朱元璋が頭角を現わし明朝を建設した。このためモンゴル高原に撤退したモンゴル勢力は北元と呼ばれたが、まもなく明軍の攻撃で滅亡する（1388年）。

問9　×　設問文を「靖康の変（せいこう）→靖難の変（せいなん）」と直せば正しくなる。洪武帝の4男で燕王として勢威を誇っていた朱棣（しゅてい）は、甥の建文帝が諸王の勢力抑制を目指すと、「君側の奸（かん）を除き帝室の難を靖んずる」として蜂起した。これが靖難の変（1399〜1402年）である。帝位に就いた彼（永楽帝）は、内閣を設置し晩年には南京から北京に遷都するなど、国家体制の再構築を図った。なお靖康の変（1126〜27年）は、北宋が金の侵入を受けて滅亡した事件である。このとき、上皇の徽宗（きそう）や皇帝の欽宗（きんそう）以下3000名余りの皇族・高官が北方に連れ去られた。

次の記述で、正しいものには〇、誤っているものには×を付けよ。

問10
check!
□□□

三藩の乱や鄭氏台湾を平定して中国統一を完成した康熙帝は、シベリア方面から南下を図るロシア勢力を撃退してネルチンスク条約を締結し、黒竜江を両国の国境とした。

問11
check!
□□□

シュメール人は、チグリス・ユーフラテス川の河口付近に、ウルやバビロンなど多数の都市を建設した。楔形文字や六十進法・1週7日制などを発明したのも、彼らである。

問12
check!
□□□

アケメネス朝ペルシア帝国はエジプトへ領土を拡大した。アッシリア帝国滅亡後に分裂していたオリエント世界は、ここに再び統一されることになった。

問13
check!
□□□

イスラム教の寺院はモスクといわれるが、この内部ではメッカの方角にアッラーの神とムハンマドの聖像が安置されている。

問14
check!
□□□

イスラム世界は、正統カリフ時代からアッバース朝にかけて大きく拡大した。すでにウマイヤ朝時代に、イベリア半島から中央アジアまでがイスラムの支配下に入った。

問 10 ×　設問文を「黒竜江→アルグン川と外興安嶺（スタノヴォイ山脈）の線」と直せば正しくなる。アルグン川は黒竜江（アムール川）の上流部。ネルチンスク条約は、華夷秩序の中心にあった中国が対等な関係で締結した最初の条約で、ロシアはピョートル１世（大帝）の時代。19 世紀に入ると清朝勢力は後退し、国境線はアイグン条約（1858 年）で黒竜江に、さらに北京条約（1860 年）でウスリー江（黒竜江下流にある支流）以東（沿海州）がロシア領とされた。これが現在の中国－ロシア国境である。

問 11 ×　設問文を「バビロン→ウルク」と直せば正しくなる。シュメール人の建設した都市としては、ウル・ウルクのほかにラガシュなども有名。設問文のほか、各都市ごとにシュメール法典が編纂され、純太陰暦が用いられるなどシュメール文化が開花した。アッカド王国の支配下に入った後、ウル第３王朝などが独立してシュメール勢力は復活するが、最終的にアムル（アモリ）人が建設した古バビロニア王国に征服された。

問 12 ○　アケメネス朝第２代カンビュセス２世がエジプト第 26 王朝を滅ぼして、全オリエントを再統一した。ペルシア戦争で知られる最盛期の君主第３代ダレイオス１世は、中央集権体制を確立したものの、アッシリア帝国とは異なり寛大な統治政策をとり、支配下の諸民族の独自性を尊重した。この王朝は、第 11（12 ?）代ダレイオス３世の時代にアレクサンドロス大王の東方遠征軍に敗れて滅亡した。

問 13 ×　イスラム教は偶像崇拝厳禁なので、アッラーやムハンマドの聖像が安置されていることはあり得ない。モスクの壁面装飾にも、人物画ではなくアラベスクと呼ばれる幾何学文様が用いられている。

問 14 ○　ムハンマド時代にアラビア半島を支配下に収めたイスラム勢力は、正統カリフ時代にリビア〜イランに大きく拡大した。さらにウマイヤ朝時代には、イベリア半島の西ゴート王国を滅ぼした後、ピレネー山脈を越えてフランク王国とトゥール・ポワティエ間の戦いで対戦したほか、東方ではアム川を越えてソグディアナに、またインダス川を越えてパンジャーブに進出した。

次の記述で、正しいものには○、誤っているものには×を付けよ。

問 15 check! □□□
ハールーン=アッラシードの没後、まもなくアッバース朝は衰退期に入り、10世紀中期にはセルジューク朝がバグダードを占領した。

問 16 check! □□□
サマルカンドを都に大帝国を建設したティムールは、小アジアに侵入してアンカラでオスマン帝国のバヤジット1世と対戦し、大勝した。

問 17 check! □□□
オスマン帝国最盛期のスレイマン1世は、ハンガリーからオーストリアに攻め込みウィーンを包囲したほか、レパント海戦で大勝利を収めて地中海の制海権を獲得した。

問 18 check! □□□
インダス文明の人々は、都市計画に基づく整然とした都市を建設した。中央には大理石の大規模な神殿や王墓が設けられた。彼らが用いたインダス文字は、未解読である。

問15　×　設問文を「セルジューク朝→ブワイフ朝」と直せば正しくなる。イランに起こったブワイフ朝（シーア派）はバグダードを占領し（946年）、大総督（アミール＝アル＝ウラマー）の称号を得て政治の実権を握った。ここにイスラム世界における政教分離が始まる。その後、中央アジアから進出したセルジューク朝（スンナ派）がブワイフ朝を滅ぼし（1055年）、トゥグリル＝ベクがスルタンの称号を獲得して（1058年）、イスラム世界の政教分離は完成する。

問16　○　オスマン帝国第4代君主のバヤジット1世は、ニコポリスの戦い（1396年）でキリスト教諸国の十字軍を打ち破って、バルカン半島支配を確立した人物。ティムール軍の侵入を知り、コンスタンティノープル包囲を打ち切って小アジアへ戻ったが、アンカラの戦い（1402年）で大敗して捕虜となり病没した。一方のティムールは、勝利後すぐにサマルカンドに戻り明遠征に向かうが、まもなく中央アジアの一角でやはり病没した（1405年）。

問17　×　設問文を「レパント海戦→プレヴェザ海戦」と直せば正しくなる。オスマン帝国は、プレヴェザ海戦（1538年）でヴェネツィア・スペインなどキリスト教諸国の連合艦隊を撃破した。スレイマン1世（大帝）の没（1566年）後、オスマン海軍はレパント海戦（1571年）に敗れて一時的に地中海の制海権を失うが、すぐに艦隊を再建して制海権の奪回に成功している（よってレパント海戦以降、急速にオスマン帝国が衰退したと考えるのは早計である）。

問18　×　設問文中、「中央には～設けられた」が誤り。インダス文明では、大規模な神殿・宮殿・王墓は見付かっておらず、強大な王権は存在しなかったものと考えられている。また、城塞部（公共施設部）や一般住居は、焼煉瓦あるいは日乾煉瓦で作られ（モヘンジョ＝ダロでは双方とも焼煉瓦）、それぞれ都市の東側と西側に配置された。

次の記述で、正しいものには〇、誤っているものには×を付けよ。

問19 check! □□□
ガウタマ゠シッダールタの没後、仏教僧団はいくつもに分裂した。これらは、いずれも出家僧個人の解脱を求めるものであったため、これを小乗と批判して衆生救済を目的とする大乗仏教がおこった。

問20 check! □□□
ムガル皇帝であったシャー゠ジャハンは、アクバルが廃止したジズヤを復活して非ムスリムを弾圧したため、各地で反乱が起こってムガル帝国は急速に衰退していった。

問21 check! □□□
古代アテネでは、クレイステネスが陶片追放の制度を始め、民主政の基礎を確立した。その後、ペロポネソス戦争中に無産市民が活躍したこともあり、ペリクレス時代に古代の民主政が確立した。

問22 check! □□□
古代ローマでは、永年の戦争や属州からの安価な穀物の輸入などにより、自由農民が次第に没落し、奴隷を用いたラティフンディアが広がっていった。

問23 check! □□□
ローマ教皇レオ３世は、フランク王国カロリング朝のカール大帝に帝冠を授けた。この事件は、西ローマ帝国が理念の上で復活した歴史的なできごととされる。

問 19　○　ガウタマ=シッダールタ没（仏滅・入滅）後、約 100 年間の初期仏教の時代を経て、教団は次第に約 20 の派閥に分裂していった（部派仏教）。その後、紀元前 1 世紀頃になると、出家僧を中心とする信仰形態を改め、在家の信者をも含めた信仰にしていこうとする運動が起こる（大乗仏教）。そして彼らは、従来の上座部など出家僧中心の部派仏教を小乗（仏教）と呼んで非難したのであった。

問 20　×　設問文を「シャー=ジャハン→アウラングゼーブ」と直せば正しくなる。シャー=ジャハンはムガル帝国の最盛期、第 5 代の君主。アグラにタージ=マハル廟を建設したことで知られている。その父を監禁して即位した第 6 代君主アウラングゼーブの時代に、ムガル帝国は最大領域を迎える。しかし彼は、非ムスリムを圧迫したため、治世の後半は各地で反乱が続発し、帝国は衰退へ向かう。

問 21　×　設問文を「ペロポネソス戦争→ペルシア戦争」と直せば正しくなる。アテネでは、ペルシア戦争（前 500 ～ 449 年）中に行われたサラミスの海戦（前 480 年）で無産市民が三段櫂船の漕ぎ手として活躍した。このため彼らの発言権が増し、アテネの民主政治が完成するが、ペロポネソス戦争（前 431 ～ 404 年）中に衆愚政治に陥ってアテネは敗れ、覇権はスパルタに移る。その後、ギリシアの覇権はテーベを経て、最終的にはカイロネイアの戦い（前 338 年）で勝利を収めたマケドニア王国が握る。

問 22　○　古代ローマでは、従軍の義務があった自由農民（自作農）が次第に没落し、奴隷を用いた大農場（ラティフンディア）が拡大した。しかし帝政後期に入ると、獲得する奴隷数の減少や奴隷労働の非能率のゆえに、没落した自由農民や解放された奴隷を小作農とする小作農制（コロナートゥス）に代わっていった。

問 23　○　レオ 3 世は、ビザンツ皇帝とコンスタンティノープル教会に対抗するため、フランク王国との結び付きを強めた。この帰結が、800 年のいわゆる「カールの戴冠」である。この事件は、ゲルマン・古代ローマ・キリスト教の 3 要素からなる西欧中世世界の成立を象徴的に示す事件であった。

次の記述で、正しいものには○、誤っているものには×を付けよ。

問 24
check!
□□□

イギリス王エドワード 3 世は、毛織物工業で繁栄するシャンパーニュ地方の支配権獲得を目指し、フランス王位継承権を口実にフランスに攻め込んだ。

問 25
check!
□□□

大航海時代に入りインド航路が開拓されると、レヴァント貿易の発展によってイタリア諸都市は繁栄し、イタリア＝ルネサンスが開花した。

問 26
check!
□□□

「太陽王ルイ」と形容されたルイ 14 世は、多くの戦争を行ってベルギーやオランダを併合した。また彼の時代には、財務長官コルベールが典型的な重商主義政策を展開した。

問 27
check!
□□□

ホーエンツォレルン家のフリードリヒ 2 世は、ベーメンの支配権をめぐってハプスブルク家のマリア＝テレジアと争い、オーストリア継承戦争・七年戦争で勝利を収めた。

問 28
check!
□□□

ネーズビーの戦いでは、クロムウェルの組織した鉄騎隊をモデルとした新型軍が活躍した。その後、チャールズ 1 世は議会派に降伏するが、最終的には処刑された。

問24　×　設問文を「シャンパーニュ→フランドル」と直せば正しくなる。フランドル地方は、ほぼ現在のベルギーにあたる地域。この地方で盛んな毛織物工業に、原料である羊毛を輸出していた国がイギリスであった。プランタジネット朝のエドワード3世は、フランスでカペー朝が断絶してヴァロア朝が成立すると、王位継承権を口実にこの地の支配を目指した。ここに英仏間で百年戦争（1337～1453年）が始まる。

問25　×　アフリカ南端を回るインド航路が発展すると、安価な香辛料がポルトガルからヨーロッパにもたらされ、地中海を舞台にした従来のレヴァント貿易（東方貿易）は衰退し、併行してイタリア＝ルネサンスは終焉に向かった。またスペインは、新大陸から安価な銀を持ち込んで価格革命をヨーロッパに引き起こした。これらの結果、経済の中心は地中海から大西洋岸に移動した。世界貿易システムが構築されたことも含めて、このような大変化を商業革命という。

問26　×　「ベルギーやオランダを併合した」が間違い。ルイ14世は自然国境説を主張し、（南）ネーデルラント継承戦争（1667～68年）・オランダ侵略戦争（1672～78年）・ファルツ（継承）戦争（1688～97年）などを行ったが、各国の激しい抵抗で失敗に終わった。

問27　×　設問文を「ベーメン→シュレジエン」と直せば正しくなる。フリードリヒ2世は、マリア＝テレジアがハプスブルク家の家督を相続すると、承認の代償を求めてシュレジエン（シレジア）に攻め込み、ここにオーストリア継承戦争（1740～48年）が始まった。この戦争はプロイセンの勝利に終わるが、マリア＝テレジアはブルボン家と同盟を結び（外交革命）、シュレジエンの奪回を試みようとしたため、再びプロイセンの先制攻撃で七年戦争（1756～63年）が始まった。

問28　○　清教徒革命（1642年）に関する文章である。当初は議会派が劣勢であったが、新型軍の編成・活躍により形勢を挽回し、王党派との内乱に勝利を収めた。その後、議会派の内部が長老派・独立派・水平派に分かれて第二次内乱が始まり、独立派のクロムウェルが護国卿として独裁体制を確立する。

次の記述で、正しいものには〇、誤っているものには×を付けよ。

問29
check!
□□□
印紙法や茶法など植民地への圧迫を強めるイギリス本国政府に対して、ボストン茶会事件を契機にアメリカ独立戦争が始まり、最終的にロンドン条約で独立が認められた。

問30
check!
□□□
ナポレオンは、大陸封鎖令を破ったロシアに遠征を行ったが、失敗に終わった。まもなく彼は、ワーテルローの戦いで敗れてエルバ島に流されることになった。

問31
check!
□□□
ヴェトナム中部に建国されたチャンパは、後漢が建設した日南郡から独立したチャム人の国で、中国では建国当初は林邑、後に占城と呼ばれ、海上交易で繁栄した。

問32
check!
□□□
インドシナ半島に徐々に移動したタイ族は、チャオプラヤー川中流域にインドシナ半島最初のタイ族の国であるアユタヤ朝を建国した。

問29　×　設問文を「ロンドン条約→パリ条約」と直せば正しくなる。七年戦争で勝利を収めたものの財政赤字に苦しんだイギリス本国は、北米植民地に対する重商主義政策を強化し、この結果アメリカ独立戦争が始まる。仏西蘭３国が植民地側に立って参戦したこと、ほかの欧州諸国が露帝エカチェリーナ２世の提唱で武装中立同盟を結んで植民地側を支援したことなどのため、最終的にパリ条約（1783年）で、13植民地に加えてミシシッピ川以東のルイジアナの独立が認められた。

問30　×　設問文を「ワーテルローの戦い→ライプチヒの戦い」と直せば正しくなる。ロシア遠征（1812年）に失敗したナポレオンに対し、フランスに敵対する各国は対仏大同盟を結成し、ライプチヒの戦い（1813年）で勝利を収めた。ナポレオンは退位しエルバ島に流されるが、ウィーン会議が紛糾しているのを見て復位（百日天下）した（1815年）。しかし彼はワーテルローの戦いでウェリントン率いる同盟軍に再度敗れ、今度はセントヘレナ島に流されて生涯を終えた。

問31　○　沿岸航海によりベンガル湾を回ったインド商人たちは、マレー半島の基部を横断して南シナ海に入り、メコン川河口部の扶南（１〜７C）を経てヴェトナム中部の林邑（２〜７C）に至り、インド文化を伝えた。後にチャンパは、環王（８〜９C）・占城（９〜15C）と呼ばれるようになり、最終的にハノイを都とする黎朝によって滅ぼされ、南北ヴェトナムの統一が完成した。

問32　×　設問文を「アユタヤ朝→スコータイ朝」と直せば正しくなる。雲南地方に建国された大理国（10〜13C）はタイ族の国であった。そして、次第にインドシナ半島に進出したタイ族は、スコータイ朝（13〜14C）を建設した。さらにタイ族は、チャオプラヤー川流域を南下し、アユタヤ朝（14〜18C）・バンコク朝（チャクリ朝またはラタナコーシン朝、18C〜現在）を建設するに至る。

次の記述で、正しいものには〇、誤っているものには×を付けよ。

問 33
check!
□□□
ナイル川中流部のメロエ王国はクシュ人たちが建国した国で、製鉄技術やメロエ文字を持って繁栄したが、エチオピアのアクスム王国によって滅ぼされた。

問 34
check!
□□□
トウモロコシ栽培を基礎に建設されたインカ帝国は、進んだ冶金技術や製鉄技術を持って高度な文明を開花させたが、この文明には文字や車輪は存在しなかった。

問 35
check!
□□□
アフリカにおいて、イギリスは大陸縦断政策をとり、大陸横断政策をとるフランスと衝突した。モロッコで発生したファショダ事件は、両国の対立の頂点であった。

問 36
check!
□□□
親政を始めたドイツのヴィルヘルム2世は、バグダードからペルシア湾岸への進出を目指す3B政策に見られるような、積極的な世界政策を展開した。

問33 ○　ナイル川中流域で栄えたクシュ王国（前10〜後4世紀）は、前8世紀にエジプトに第25王朝を建設したが、アッシリアの侵入でエジプトより撤退した。その後クシュ王国は、エジプト第26王朝に圧迫されてメロエに遷都し、これ以降はメロエ王国（前7・6〜後4世紀）とも呼ばれる。神聖文字に起源を持つメロエ文字が用いられ、製鉄技術も発達したが、メロエ王国は紀元前後よりローマ帝国と抗争を繰り返し次第に衰退していく。一方のアクスム王国（前2世紀または紀元前後〜後10世紀）は、アラビア半島南端のイエメンからエチオピア（アビシニア）高原に移住したセム系アクスム人が建国した国。ササン朝およびイスラム勢力の拡大で衰退・滅亡した。

問34 ×　「製鉄技術」の部分が誤り。中南米の諸文明は、いずれも製鉄技術を知らなかった。青銅器文明の段階で高度な都市文明を作り上げたことは、旧大陸の常識からは驚異である。またインカ帝国では、文字の代わりに結縄（キープ）で数字を記録した。なお新大陸原産の栽培植物としては、トウモロコシ・カボチャ・ジャガイモ・サツマイモ・落花生・タバコ・トマト・トウガラシ・インゲンマメ・カカオ・ゴムなどが有名である。

問35 ×　設問文を「モロッコ→スーダン」と直せば正しくなる。イギリスは、アラービー=パシャの乱（1881〜82年）を鎮圧してエジプトを事実上保護国化したが、スーダンで発生したマフディーの乱（1881〜98年）の鎮圧には失敗した。このため仏軍がコンゴから派遣され、ナイル川を遡上した英軍とファショダで対峙し、一触即発の事態となった。結局、ドイツとの対立をかかえるフランスの譲歩で事件は解決し、これを機に英仏関係は和解に転ずる。

問36 ○　ビスマルクはフランスの孤立化を第一に考え、欧州中心の外交を展開した。ところが1888年にヴィルヘルム2世が即位し、1890年にビスマルクを引退させ親政を開始すると、政策は大きく変化する。この時代に行われた海軍拡張はイギリス海軍の優位をおびやかし、バグダード鉄道敷設権獲得などの3B政策はイギリスの3C政策と衝突し、英独対立が表面化していく。

次の記述で、正しいものには〇、誤っているものには×を付けよ。

問 37
check!
□□□

アヘン戦争・アロー戦争に連敗した清朝は、南京条約・天津条約・北京条約を締結した。この結果、清朝は従来の海禁政策の放棄を余儀なくされ、合計 11 港の開港に応じた。

問 38
check!
□□□

太平天国の乱後の清朝では、康有為・梁啓超らによって「中体西用」をスローガンとする洋務運動が行われたが、この限界は清仏戦争・日清戦争の敗北で明らかとなった。

問 39
check!
□□□

辛亥革命後に建国された中華民国では、まもなく袁世凱が独裁体制を樹立し、皇帝に即位した。これに対して、反袁派の第二革命・第三革命が発生した。

問 40
check!
□□□

ヴェルサイユ条約で、ドイツはアルザス・ロレーヌをフランスに返還したほか、植民地をすべて放棄した。これらの植民地は、国際連盟の委任統治領となる。

問37　○　戦争前の中国では、広州1港に貿易が限定され、しかも公行貿易のみが許可されていた。このためイギリスは、中国から輸入される茶の対価として、インド産アヘンのほかにイギリス製綿製品の輸出をもくろみ、マカートニーやアマーストを清朝に派遣し海禁政策の緩和を求めた。これが失敗に終わると、没収されたアヘンの損害賠償（アヘン戦争の場合）やアロー号事件（アロー戦争の場合）を口実に、イギリスは清朝に戦争を仕掛けた。

問38　×　設問文を「康有為・梁啓超→曾国藩・李鴻章・左宗棠」と直せば正しくなる。同治帝の時代に行われた洋務運動は、李鴻章らの漢人高級官僚が主導したもので、軍隊・工場の近代化による富国強兵を目指した。これに対し、特に日清戦争後に民間で盛んとなった変法運動は、公羊学者の康有為らを中心とし、日本の明治維新を模範に立憲君主制の樹立を目指す運動であった。光緒帝が彼らを登用し戊戌の変法が始まるが、戊戌の政変によって失敗に終わった。

問39　○　中華民国建国（1912年1月）当初は、孫文が臨時大総統となった。その後、袁世凱は孫文と密約を交わし、宣統帝に退位を強要して清朝を滅ぼして（同年2月）、新政府の臨時大総統に就任した（同年3月）。まもなく袁世凱は、革命派を排除（同年4月）して独裁体制を固め、反対派（第二革命）を弾圧（1913年7月）して皇帝に即位した（1916年1～3月）が、各地で帝政反対運動（第三革命）が激化したため、即位を取り消さざるを得なかった。

問40　○　アルザス・ロレーヌは独仏両国が永年その支配権を争い、普仏戦争（1870～71年）の際にフランスがドイツに割譲した地域。植民地問題に関しては、旧独領や旧トルコ領の併合を求める英仏伊日4国と、「十四ヵ条の平和原則」で民族自決を掲げたウィルソン米大統領が対立した結果、妥協案として委任統治という方策が考案された。国際連合の信託統治と混同しないように注意すること。

次の記述で、正しいものには〇、誤っているものには×を付けよ。

問41
check!
□□□
ニューヨークのウォール街で「暗黒の木曜日」に発生した株価の大暴落が、世界恐慌の引き金となった。当時のイギリスでは、保守党のマクドナルドが政権を握っていた。

問42
check!
□□□
パリ講和会議で、日本が膠州湾租借地など山東省の旧ドイツ権益を継承することが決まると、中国ではこれに反対する三・一運動が発生した。

問43
check!
□□□
柳条湖事件を契機に関東軍は中国東北地方の全域を占領し、満州国を樹立した。当時、南京を首都としていた中華民国政府は、日本の行動を侵略として国際連盟に提訴した。

問44
check!
□□□
第二次世界大戦後のドイツは、米英仏ソ4国の分割占領下に置かれた。米英仏3国の占領地区で通貨改革が行われると、ソ連は「ベルリンの壁」を構築して対抗した。

問41　✕　設問文を「保守党→労働党」と直せば正しくなる。イギリス2大政党の一方であった自由党は第一次世界大戦後に勢力が衰え、1924年には一時的に労働党のマクドナルドが政権を握った（自由党との連立政権）。保守党政権（1924〜29年）をはさみ、マクドナルドは1929年に労働党の単独政権を樹立したが、世界恐慌による失業保険費の切下げ問題で1931年に内閣は崩壊し、彼は保守党・自由党と挙国一致内閣を組織する（労働党は彼を除名した）。

問42　✕　設問文を「三・一運動→五・四運動」と直せば正しくなる。日本は、日英同盟を口実に第一次世界大戦に参戦し、占領した膠州湾地区などドイツ権益の獲得をパリ講和会議で目指した。一方、中国は1917年にドイツに宣戦を布告し、戦勝国の一員として講和会議でドイツ権益の返還を求めた。結局、日本がドイツ権益の獲得に成功すると、中国民衆は五・四運動を起こす。なお三・一運動は、1919年に朝鮮で発生した日本からの独立運動（1910年に日本は朝鮮を併合した）。

問43　○　張作霖爆殺事件（1928年）に続き柳条湖事件（1931年）を引き起こした関東軍は、政府の不拡大方針を無視して満州全域を占領し、満州国を建設した（1932年）。これに対して、国際連盟が派遣したリットン調査団の報告書は、満州国を日本の傀儡政権と断定する一方で満州における日本の特殊権益を認めるなど、日華両国に配慮した折衷的内容であった。しかし、日本は同報告書を不満として国際連盟を脱退し（1933年）、国際的に孤立していく。

問44　✕　設問文を「ベルリンの壁を構築して→ベルリン封鎖を行い」と直せば正しくなる。戦後のドイツでは、ソ連占領地区内にあったベルリンも、米英仏ソ4国の分割占領下に置かれた。ベルリンにおける米英仏3国占領地区が西ベルリン、ソ連占領地区が東ベルリンである。西側占領地区の通貨改革に反発したソ連は、対抗して自国占領地区で通貨改革を実施するとともに、西ベルリンへの交通を遮断した。これがベルリン封鎖（1948〜49年）である。これに対して西側諸国は大空輸作戦を実施し、西ベルリンに生活必需品を運んだ。

次の記述で、正しいものには○、誤っているものには×を付けよ。

問 45
check!
□□□

第二次世界大戦後、中ソ両国は同盟関係にあった。しかしブレジネフが行った「スターリン批判」を契機に、中ソ論争が始まり両国の関係は次第に悪化していった。

問 46
check!
□□□

第二次世界大戦後、ホーチミンを中心にヴェトナム民主共和国が建国され、フランスとの間でインドシナ戦争が勃発したが、パリ和平協定でフランスはインドシナから撤退した。

問 47
check!
□□□

ソモサ一族の独裁体制下にあったニカラグアでは、サンディニスタ民族解放戦線が勝利を収め新政権を樹立したが、アメリカが支援する反政府勢力との間に内戦が続いた。

問45　×　設問文を「ブレジネフ→フルシチョフ」と直せば正しくなる。スターリン病没（1953年）後、後継者となったフルシチョフは、ソ連共産党第20回党大会で米ソの平和共存を提唱し、スターリン批判を行った（1956年）。この結果、中ソ対立が始まるとともに、ソ連の支配下にあった東欧諸国が動揺し、ポズナニ（ポーランド）とブダペスト（ハンガリー）で反ソ暴動が発生した。とくにハンガリーでは駐留していたソ連軍が出動し、ナジ゠イムレ首相を処刑して自由化を弾圧する事態に発展した（ハンガリー事件）。一方ポーランドでは、「民族主義的偏向」を理由に解任（1948年）、投獄（1951～54年）されたゴムウカ（ゴムルカ）が党第一書記に復帰し、ソ連の支配下で独自路線を模索することになる。

問46　×　設問文を「パリ和平協定→ジュネーブ休戦協定」と直せば正しくなる。第二次世界大戦後、植民地支配の再開をもくろむフランスとヴェトナム民主共和国（北ヴェトナム）との間で、インドシナ戦争が始まった（1946～54年）。この戦争はフランスの敗北に終わり、ジュネーヴ休戦協定が締結された。代わってヴェトナムに進出したアメリカは、ゴ゠ディン゠ディエム大統領（任期1955～63年）の下で、ヴェトナム共和国（南ヴェトナム）を建国して、北ヴェトナムへの本格的な空爆（北爆）を開始した。ここにヴェトナム戦争が始まった（1965～73年）が、パリ和平協定でアメリカは撤退することになる。その後、北ヴェトナムが武力で南北を統一し（1975年）、ヴェトナム社会主義共和国を建設した（1976年）。

問47　○　ソモサ一族の独裁体制（1936～79年）に対してニカラグア革命が発生し（1979年）、ソ連の支援するサンディニスタ民族解放戦線が政権を握った。その後も親米勢力との間に内戦が続いたが、米ソ首脳（ブッシュ大統領とゴルバチョフ書記長）がマルタ島で冷戦の終結を宣言すると（1989年）、ニカラグアでも休戦が実現して選挙により新大統領が選出された（1990年）。なおサンディニスタの名称は、1826～34年に反米闘争を行った英雄サンディーノ将軍に由来する。

次の記述を読んで、解答群から正解を 1 つ選べ。

問 48
check!
□□□

朝鮮半島の歴史に関して正しいものはどれか。

1　衛氏朝鮮を倒した前漢の武帝は、平壌を拠点とした楽浪郡など 4 郡を設置し、朝鮮全土を支配下に置いた。

2　慶州を首都として発展した新羅は、唐と同盟して百済・高句麗を次々に滅ぼし、さらに唐の安東都護府を平壌から追放して、朝鮮半島統一を完成した。

3　漢城を首都に王建が建国した高麗は、後にモンゴル帝国の度重なる進攻に対して江華島に遷都して抵抗を続けた。

4　倭寇討伐で活躍した李舜臣が建国した李朝（朝鮮国）は、壬辰・丁酉の倭乱を李成桂などの活躍で撃退した。

5　日朝修好条規を李朝政府に押しつけた日本は、日清戦争・日露戦争を経て日韓基本条約を締結し、朝鮮を併合した。

問48　正解 2

1　×　「朝鮮全土を支配下に置いた」という部分が誤り。朝鮮半島南部は韓族の勢力が強く、前漢の支配下に入っていない。これら韓族の諸勢力が、馬韓（諸国）・弁韓（諸国）・辰韓（諸国）にまとまっていく。やがて、百済・新羅が馬韓・辰韓をそれぞれ平定し（弁韓は伽耶・加羅・任那と呼ばれ分裂が続いた）、北方におこり楽浪郡を滅ぼした高句麗と朝鮮半島を三分する形勢（三国時代）となる。

2　○　辰韓からおこった新羅は、唐の支援を受けて 660 年に百済を滅ぼし、百済再建を目指した残党と日本（大和政権）の連合軍を 663 年に白村江の戦いで打ち破った。さらに 668 年には高句麗を滅ぼし、676 年には同盟国であった唐の勢力を平壌から駆逐して（安東都護府は鴨緑江以北の遼陽に移転した）、朝鮮半島の統一を達成する。

3　×　漢城ではなくて開城である。漢城（漢陽）は現在のソウルで、この漢城近くにあるのが江華島である。高麗は江華島に遷都（1232 年）してモンゴル軍への抵抗を続け、モンゴル軍は半島本土と江華島との間にある幅 1 km 弱の海峡をついに越えることができなかった。その後、高麗はモンゴルに降伏し（1259 年）、開城に復都している（1270 年）。この動きに対して、徹底抗戦派は三別抄の乱を起こし（1270 〜 73 年）、江華島・珍島さらに済州島で抵抗を続けた。

4　×　李舜臣と李成桂が逆である。（前期）倭寇討伐で名を挙げた李成桂が、1392 年に李朝を建国した。その後、豊臣秀吉が 16 世紀末に行った朝鮮出兵（朝鮮では壬辰・丁酉の倭乱、日本では文禄・慶長の役と呼ばれる）で、亀甲船（接船戦で敵の侵入を防ぐために甲板上部に槍や刀を付けた装甲版を張った軍船で火砲を装備した）を用い日本水軍を悩ました英雄が、李舜臣である。

5　×　「日韓基本条約」ではなくて「日韓併合条約」である。日本は江華島事件（1875 年）を引き起こし、日朝修好条規（1876 年）を強要して李朝（日本では李氏朝鮮と呼ぶことが多い）を開国させ、壬午軍乱（1882 年）・甲申政変（1884 年）・甲午農民戦争（1894 年）・日清戦争（1894 〜 95 年）・閔妃殺害事件（1895 年）・日露戦争（1904 〜 05 年）・第一〜三次日韓協約（1904 〜 07 年）などを経て、1910 年に日韓併合条約で大韓帝国（1897 年に朝鮮国から改称）を併合した。当時は、高宗（李太王）と閔妃が政治の実権を握っていた時代であった。なお日韓基本条約（1965 年）は、日韓国交正常化を実現した条約。

次の記述を読んで、解答群から正解を 1 つ選べ。

問 49
check!
☐☐☐

1930 年代の各国の動向として正しいものはどれか。

1　盧溝橋事件を契機に日中戦争が発生すると、蒋介石は政府を南京から武漢さらに延安に移して、日本軍に対する抵抗を続けた。

2　独裁体制を確立したヒトラーは、オーストリアを併合した後、ポーランドにズデーテン地方の割譲を要求した。

3　アメリカでは、F＝ローズヴェルト政権がニューディール政策を実施し、全国産業復興法や全国労働関係法で、労働者の団結権・団体交渉権を認めた。

4　イギリスは、ウェストミンスター憲章に基づいて組織したイギリス連邦の経済会議をキャンベラで開催し、いわゆるスターリング＝ブロックを形成した。

5　コミンテルン第 7 回大会で採用された「人民戦線戦術」に基づいて、スペインではブルム人民戦線内閣が誕生したが、これに対してフランコ将軍が反乱を起こした。

問49　正解 3

1　×　延安ではなくて重慶である。盧溝橋事件（1937年7月）を契機に日中間に華北で戦闘が始まると、第二次上海事変（同年8月）が発生した。激戦の後、上海戦線から退却する中国軍を追って、日本軍は南京を占領した（同年12月）。蔣介石は政府を武漢（同年11月）を経て重慶に移し（1938年8月）、徹底抗戦を続ける。一方、蔣介石と対立する汪兆銘は日本と通じて重慶を脱出し（同年12月）、南京に新政府を樹立した（1940年3月）。なお延安は中国共産党の根拠地。

2　×　ポーランドではなくてチェコスロヴァキアである。ズデーテン地方には多くのドイツ人が入植していた。ナチスは彼らの民族自決によるドイツへの併合を求め（1938年3月）、ミュンヘン会談（同年9月）で要求を認めさせた後、チェコを事実上併合しスロヴァキアを保護国化した（1939年3月16日）。ヒトラーがポーランドに要求したのはダンチヒ返還とポーランド回廊における連絡路建設。

3　○　全国産業復興法（NIRA）は、産業界への国家統制を強化したほか、労働者の団結権・団体交渉権を認めるとともに、最低労働条件を規定して労働者の購買力の増大を図ったものであったが、違憲判決を受ける（1935年）。このため同法の違憲でない部分を取り出して、改めて労働者の団結権・団体交渉権を法的に保障したものが、全国労働関係法（1935年・ワグナー法）である。この結果、未熟練労働者の組織化が進み、産業別組織会議（ＣＩＯ）がアメリカ労働総同盟（ＡＦＬ）から分離・発展することになる（1938年）。

4　×　キャンベラではなくてオタワ（カナダ）である。マクドナルド挙国一致内閣（1931～35年）は、イギリス本国と各自治領でイギリス連邦を結成し、連邦内で特恵関税制度を採用することで、域内の需要・供給の拡大を図った。イギリスの採用したブロック経済は、その通貨からスターリング=ブロックと呼ばれる。

5　×　ブルムではなくてアサーニャである。アサーニャ人民戦線内閣が誕生すると（1936年）、フランコ将軍が西領モロッコで反乱を起こし、スペイン内乱が始まる（～1939年）。フランコは独伊両国の支援を受け勝利したが、第二次世界大戦では中立を保ち、戦後も独裁体制を維持した。彼の没後（1975年）は、スペイン革命（1931年）で崩壊したブルボン朝が復活した。なおブルムは、フランス人民戦線内閣首相（1936～37年）で、スペイン内乱に対し不干渉政策をとる。

次の記述で、正しいものには〇、誤っているものには×を付けよ。

問1
check!
□□□
相沢忠洋が1946年に群馬県岩宿の関東ローム層のなかから打製石器のかけらを発見するまで、日本には旧石器時代はないというのが日本考古学会の定説だった。

問2
check!
□□□
今から約1万年前に始まった縄文時代の遺跡として、登呂遺跡（静岡県）や吉野ケ里遺跡（佐賀県）などがある。

問3
check!
□□□
聖徳太子は593年、推古天皇の摂政となり、蘇我氏の協力のもとに国政の改革にあたった。冠位十二階の制を定め、憲法十七条を制定し、小野妹子を遣唐使として中国に遣わした。

問4
check!
□□□
続日本紀にある「諸国庸調の脚夫、事畢りて郷に帰るとき、路遠くして粮絶ゆ。途中に辛苦して……」は、庸調を運ぶ脚夫について述べたものであるが、この脚夫には郡司などの豪族があてられた。

問5
check!
□□□
元明天皇は、710年に奈良に唐都長安をモデルに新しい都を造営した。この都は平城京と呼ばれ、以後約80年間を奈良時代と呼ぶ。

問6
check!
□□□
聖徳太子の時代に栄えた仏教文化を「飛鳥文化」、大化の改新（645年）の後即位した天智天皇の頃の文化を「白鳳文化」、聖武天皇の頃の文化を「天平文化」と呼ぶ。

問1　○　岩宿の発見により、以後赤土層が発掘の対象となる。日本では旧石器時代は約70万年前～約1万年前まで続き、その後、旧石器時代後期より磨製石器が出現し、新石器時代（縄文・弥生時代）となる。

問2　×　登呂遺跡、吉野ケ里遺跡とも縄文時代後の弥生時代の遺跡。弥生時代の大きな特徴は大陸から伝わった金属器の使用と稲作の開始にある。縄文時代の遺跡・遺物としては大森貝塚（東京都）、尖石遺跡（長野県）、三内丸山遺跡（青森県）などが有名だが、千島から沖縄まで広く分布している。近年、縄文人の活動範囲の広さも分かってきた。農耕の存否についても議論が多い。

問3　×　遣唐使ではなく遣隋使（607年）が正しい。隋の煬帝（ようだい）と対等の国交を開こうとしたことは有名。長期の滞在を終えて帰国した留学生の新知識は後の大化の改新（645年）に始まる国政改革に大きく貢献した。太子の時代に花開いた仏教文化を飛鳥文化と呼ぶ。

問4　×　脚夫は運脚とも呼ばれ、郡司などの豪族ではなく一般農民から選ばれた。往復の食料などが自弁であったため、農民疲弊の一因となった。租が稲を納めるのに対し、調・庸は絹・布・糸などを納めるもの。701年の大宝律令の完成により、農民は班田収授法で最低限の生活は保障されたが、国家に重い税を強いられた。

問5　○　藤原京（持統天皇が694年に造営）より平城京に遷都。聖武天皇の治世は、天平文化と呼ばれる仏教的色彩の濃い、唐の文化の影響を受けた国際色豊かな文化が栄えた。また一方では、口分田の不足から、三世一身の法（723年）や墾田永年私財の法（743年）ができ、律令制の根本である公地公民制が崩れていった時代でもあった。

問6　×　白鳳文化は天武天皇（天智天皇の弟）と、その後の持統・文武天皇の時代に栄えた仏教文化である。薬師寺東塔、法隆寺金堂壁画、高松塚古墳などが代表的。飛鳥文化は法隆寺・四天王寺、釈迦三尊像、玉虫厨子など、天平文化は、法隆寺の夢殿・唐招提寺の金堂・東大寺の正倉院、古事記や日本書紀・風土記、万葉集の編纂などが有名である。

次の記述で、正しいものには〇、誤っているものには×を付けよ。

問7
check!
□□□
桓武天皇は 794 年に長岡京より平安京に遷都し、律令政治の建て直しに努めた。これ以後の約 400 年間を平安時代と呼ぶ。

問8
check!
□□□
桓武天皇の時代に唐より帰国した最澄と空海は仏教の新しい宗派を伝えた。最澄は真言宗を、空海は天台宗を広めた。

問9
check!
□□□
藤原氏が摂政・関白として実権を握った 10 世紀中頃から 11 世紀後半までの政治を摂関政治という。また、地方では、承平・天慶の乱を経て武士の力が認められ、平氏と源氏が台頭した時代でもあった。

問10
check!
□□□
社会の不安や混乱の中から、平安時代後期に末法思想が広まり、阿弥陀仏にすがって極楽浄土へ生まれ変わろうとする浄土信仰が広まった。

問11
check!
□□□
12 世紀に宋の商船を大輪田泊（現在の神戸港）に迎えて行われた貿易では、銅銭や書籍、陶磁器などとともに、中国産の麺類などももたらされた。

問12
check!
□□□
源頼朝は 1192 年、朝廷より征夷大将軍に任ぜられ、武家の政権が正式に鎌倉に成立した。この後、武家の頭を征夷大将軍、その政権を幕府と呼ぶようになる。

問7　○　桓武天皇は律令政治の建て直しのために、地方政治の粛正（国司・郡司の取締り強化のために巡察使や勘解由使の新設）、班田収授・税制の改革（農民負担の軽減）、兵制改革（健児の制による軍事力強化）、東北の支配（坂上田村麻呂の派兵）、仏教勢力の排除を行った。

問8　×　最澄（伝教大師）は比叡山に延暦寺を建てて天台宗を、空海（弘法大師）は高野山に金剛峰寺を建て真言宗を広めた。桓武天皇の政教分離の方針により、奈良時代の仏教とは異なり、人里離れた山寺での厳しい修行が重んじられ、密教と呼ばれる。

問9　○　摂関政治は藤原道長・頼通父子のときに全盛を迎えた。また、894年の遣唐使の廃止により、10世紀頃から生まれた和風の文化を国風文化（藤原文化）という。かな文字の発明による「古今和歌集」（紀貫之）、「源氏物語」（紫式部）、「枕草子」（清少納言）、大和絵や絵巻物、美しい庭園を取り入れた寝殿造りなどがある。

問10　○　空也や源信（『往生要集』の著者）により浄土教は広められ、後の鎌倉仏教に影響を与えた。浄土教の広まりにより、阿弥陀堂や阿弥陀如来像が盛んに作られた。藤原頼通が京都の宇治に建てた平等院鳳凰堂、奥州藤原氏が平泉に建てた中尊寺金色堂がその代表である。

問11　○　平清盛の日宋貿易のこと。平清盛は1156年の保元の乱により武士の力を示し、1159年の平治の乱で源義朝を倒して政治の実権を握った。その後太政大臣に任じられ権勢を振るうが、死後数年にして平氏の嫡流は滅亡する（1185年・壇ノ浦の戦い）。

問12　○　鎌倉幕府のしくみは律令制度のしくみと比べて実際的で、中央には侍所（軍事・警察）、政所（一般政務）、問注所（裁判）を置き、地方には守護（御家人の統制と軍事・警察）、地頭（荘園・公領ごとの管理や支配）を、京都には京都守護（後に六波羅探題）を置いた。

次の記述で、正しいものには○、誤っているものには×を付けよ。

問 13
check!
□□□

鎌倉時代には武士や民衆の願いにかなった新仏教が現われる。日蓮や親鸞は中国に渡って、禅宗を学び、座禅により悟りを開くことを勧めた。

問 14
check!
□□□

第3代執権北条泰時は1232年に武士社会の慣習に基づいて51か条からなる御成敗式目（貞永式目）を定め、裁判の基準を御家人に示した。

問 15
check!
□□□

朝鮮の高句麗を従えた元軍は、1274（文永11）年と1281（弘安4）年の二度にわたって、朝貢を拒絶した日本に襲来した。執権北条時宗のときで、元寇と呼ばれている。

問 16
check!
□□□

後醍醐天皇による建武の新政はわずか2年半で崩壊し、光明天皇を擁立した足利尊氏の北朝と吉野に逃れた後醍醐天皇の南朝は激しく対立した（南北朝の内乱）。その後、2代将軍足利義詮の1392年に南北朝は合一された。

問 17
check!
□□□

室町時代における農業の特色は、土地の生産性を向上させる集約化・多角化が進められたことにある。二毛作は各地に広まり、牛馬耕はさらに普及し、農具では備中鍬が広く用いられた。

問 18
check!
□□□

東山文化とは足利義政が建てた銀閣に象徴される文化である。禅宗の影響が強く、わび・さびを尊ぶ幽玄の趣があり、逃避的な傾向もあったが、能・狂言・御伽草子・連歌・茶などの民衆文化が一層発展した。

問13　✕　禅宗は栄西（臨済宗）と道元（曹洞宗）により広められる。先の時代の天台・真言両宗が密教化し、信仰の対象としての位置を失ってゆく中で現われた浄土思想の中から鎌倉新仏教は生まれた。鎌倉新仏教には禅宗のほかにも、浄土宗（法然）、浄土真宗（親鸞）、法華宗（日蓮宗・日蓮）、時宗（一遍）などがある。

問14　○　1221年の後鳥羽上皇による承久の乱を鎮圧した幕府は、朝廷の監視や西国御家人の統率のために京都守護を廃して六波羅探題を設置（東の執権、西の六波羅探題）した。執権政治を確立させた幕府は、律令に対抗する武士のための法律として御成敗式目を制定。以後、武家法の基本とされのちの分国法にも大きな影響を与えた。

問15　✕　元軍が従えたのは高句麗（コグリョ）ではなく、高麗（コリョ）が正しい。元を建国したフビライは日本の入貢を求めたが拒絶され、二度にわたって襲来した。撃退はしたものの、その後御家人の窮乏は増し、徳政令などの救済措置も効果が薄かった。

問16　✕　南北朝の合一は3代将軍の足利義満のとき。義満のときに倭寇の禁止をきっかけに日明貿易も始まり（1404年）、銅銭（明銭）や生糸、陶磁器などを輸入し、刀剣・硫黄などを輸出した。1543年の鉄砲伝来以後はポルトガル人やスペイン人の来航により南蛮貿易が始まる。

問17　✕　鍬・鋤・鎌などの鉄製農具の普及は室町時代の農業の特色だが、深耕用の備中鍬、脱穀用の千歯こきなどが考案されたのは江戸時代のこと。江戸時代の17世紀の末には宮崎安貞により、新しい栽培技術や農業知識を説く「農業全書」が作られた。

問18　○　足利義満の時代の、金閣や観阿弥・世阿弥の能楽に代表される北山文化に対して、東山文化と呼ばれる。それは書院造りの代表である東求堂同仁斎、枯山水（竜安寺石庭）、水墨画（雪舟）の隆盛、狩野派（正信・元信）の台頭、宗祇の連歌などに象徴される。東山文化は応仁の乱の戦禍を避けた人々により、京都から地方にも広まった。

次の記述で、正しいものには〇、誤っているものには×を付けよ。

問 19
check!
□□□

戦国大名は、富国強兵政策をとって強力な軍隊を作り、「今川仮名目録」「信玄法度」「塵芥集」のような独自の分国法を制定した。

問 20
check!
□□□

応仁の乱後の下剋上の風潮のなかで、1485 年、山城（京都）で起こった一揆では、国人と農民がともに立ち上がり 8 年間の自治を行った。これを山城の一向一揆と呼ぶ。

問 21
check!
□□□

主にポルトガル商船を堺・博多を中心に迎えて行われた南蛮貿易では、鉄砲や生糸とともに、とうもろこしやカステラなどがもたらされた。

問 22
check!
□□□

織田信長は、キリスト教の布教を認めていたが、長崎がイエズス会に寄進されていることを知り、宣教師の国外追放を命令した。

問 23
check!
□□□

織田信長の統一事業を引き継いだ豊臣秀吉は、全国の統一的支配のために、太閤検地や刀狩を行った。これにより荘園は完全になくなり、兵農分離も進んで集権的政治支配が確立された。

問 24
check!
□□□

徳川家康は 1600 年に石田三成ら西軍の大名を関ケ原の戦いで破り、1603 年に江戸に幕府を開いた。これ以後の 260 年間を江戸時代と呼ぶ。

問19　○　1467年の応仁の乱は、足利義政の後継者問題に有力守護の争いがからんだ戦乱で、11年間続き京都は焼野原となった。幕府の権威は失墜し、有力守護大名の力も衰えて下剋上の時代となった。乱後の100年間を戦国時代と呼ぶ。

問20　×　「山城の国一揆」が正しい。一国の規模で、国人を中心に農民も加わって起こす一揆を「国一揆」という。土民が一致団結したものを「土一揆」、一向宗（浄土真宗）の信者の一揆は「一向一揆」と呼ぶ。1488年に起きた「加賀の一向一揆」では100年間にわたって自治が行われた。

問21　×　南蛮貿易は堺や博多ではなく平戸・長崎や府内（大分県）で盛んに行われた。もたらされたものは、中国産の生糸・絹織物、ヨーロッパの鉄砲・硝石・ガラスなどで、銀や刀剣、漆器などを輸出した。堺や博多の商人は日明貿易で実権を握っていた。

問22　×　宣教師追放令は1587年、信長ではなく豊臣秀吉によって出された。信長は駿河の今川義元を桶狭間に破って勢力を伸ばし、1573年、室町幕府を滅ぼした。その後、長篠の戦では鉄砲隊を組織して、武田氏を破り、近江に安土城を築いて天下統一の拠点とした。

問23　○　秀吉は1590年に天下を統一した。16世紀末には朝鮮に大軍を送ったものの（文禄・慶長の役）、結果的に政権の支配力は弱まった。信長・秀吉の時代の文化は豪壮で華麗な文化で、桃山文化と呼ばれた。城郭建築（安土城・大阪城・姫路城・聚楽第他）、障壁画（狩野派）、陶芸（有田焼・萩焼他）、茶道（千利休）の大成、歌舞伎（阿国）の発生などに特色がある。

問24　○　家康は、「大坂の陣」で豊臣氏を滅亡させた（1615年）。その後、大名統制のための武家諸法度（参勤交代も制度化された）も家光のときにほぼ完成、老中を常置の最高執行機関として、その下に三奉行（寺社奉行・町奉行・勘定奉行）や朝廷の警備と西国の監視に京都所司代を置くなどした。

次の記述で、正しいものには〇、誤っているものには×を付けよ。

問25
check! □□□
徳川家康は、東南アジア諸国との貿易は「朱印状」という許可状を与えて保護した。朱印船貿易と呼ばれ、東南アジアで活躍する日本人も増え、タイやベトナム、フィリピンには日本町ができた。

問26
check! □□□
江戸時代の農民は「結（ゆい）」という組織に編成され、年貢納入などで連帯して責任をとらされた。

問27
check! □□□
5代将軍徳川綱吉が文治政治を行った時期は元禄時代と呼ばれ、富を蓄えた大商人が出現した時代でもあった。彼らに支えられた町人文化は江戸を中心に栄え、元禄文化と呼ばれた。

問28
check! □□□
1716年、8代将軍となった徳川吉宗は幕府の強い権力の回復を目指して、享保の改革を進めた。公事方御定書の制定、目安箱の設置、上げ米の制、足高の制、新田開発等の諸政策を打ち出し、幕府中興の英主と呼ばれた。

問29
check! □□□
田沼意次は、享保の改革（8代将軍徳川吉宗の時代）の後に老中となり、幕政の改革を行った。銅・鉄・朝鮮人参などを幕府の専売とし、金銀の流出を防ぐために長崎貿易を制限した。

問30
check! □□□
1787年、老中首座となった松平定信は、田沼失脚の後、棄捐令、専売制の廃止・株仲間の廃止、旧里帰農令、囲い米の制等諸制度を決め幕政の改革を行った。昌平坂学問所では朱子学の講義のみを行った（寛政異学の禁）。

問25　○　朱印船貿易では輸入は生糸、輸出は銀が第一であった。シャムのアユタヤでは山田長政が日本町の代表として活躍した。その後、幕府は1637年に起こった島原の乱をきっかけにポルトガル船の来航を禁止（1639年）し、1641年には平戸のオランダ商館を長崎の出島に移して、鎖国体制は完成された。

問26　×　「結」は田植えや稲刈や屋根ふきなどを共同で行う作業形態をさす。年貢の納入や犯罪防止に共同責任を負わせたのは「五人組」である。農民は年貢を負担する地主である「本百姓」と本百姓の田畑を耕作する「水呑百姓」に分けられた。また、日常は「慶安の御触書」（1649年）により細かく統制された。

問27　×　元禄文化は上方文化とも呼ばれ、京都・大阪を中心に栄えた文化。俳諧の松尾芭蕉（奥の細道）、浮世草子の井原西鶴、人形浄瑠璃の近松門左衛門、歌舞伎の坂田藤十郎・市川団十郎、障壁画の狩野探幽、浮世絵の菱川師宣、有田焼の酒井田柿右衛門、日光東照宮・桂離宮の建築物など。藩校や寺子屋も作られ、教育も広がった。

問28　○　物価の根本である米相場にはとくに苦心した。吉宗が米将軍と言われるゆえんである。幕府の政治改革は、新井白石の「正徳の治」→徳川吉宗の「享保の改革」→田沼意次の政治→松平定信の「寛政の改革」→水野忠邦の「天保の改革」と行われ、享保・寛政・天保の改革を三大改革と呼ぶ。

問29　×　長崎貿易の制限は、新井白石の正徳の治のとき。意次は吉宗の後、株仲間大幅認可、専売制の実施、新田開発、長崎貿易の奨励等、積極的な商業重視の政策を行った。白石は朱子学者で5代将軍綱吉の後に登場し、生類憐みの令を廃止し長崎貿易を制限した。

問30　○　天明の大飢饉による米価暴騰で、百姓一揆・打ちこわしなどが各地で起こり、1787年、江戸も一時無政府状態に陥った。定信は祖父の吉宗の政治を理想とし、商業資本を抑圧し、農村の復興を企てる諸政策を行った。

次の記述で、正しいものには〇、誤っているものには×を付けよ。

問31
check!
☐☐☐

徳川11代将軍家斉の文化文政の時代に栄えた文化を化政文化と呼び、文学では、浮世草子と呼ばれる小説で、町人や武士の生活・心情を生き生きと描いた井原西鶴が活躍した。

問32
check!
☐☐☐

老中水野忠邦は、1841年老中となり、享保の改革を手本として政治改革を行った。これを天保の改革と呼ぶ。

問33
check!
☐☐☐

廃藩置県は、1871年明治新政府により中央集権体制の強化のために行われた。全国に3府302県が設置され、旧藩主は府知事・県令として任命された。

問34
check!
☐☐☐

板垣退助は国会開設や憲法制定を要求した自由民権運動の指導者となり、その後、国会開設を約束した勅諭が出された後、自由党を結成した。

問35
check!
☐☐☐

1894年、朝鮮で起きた農民戦争（甲午農民戦争）をきっかけに日清両国は朝鮮半島に出兵し、同年7月、日本軍は豊島沖で清国軍を奇襲し、日清戦争の戦端は開かれた。

問36
check!
☐☐☐

明治中期、大日本帝国憲法発布の前年に、市制・町村制が公布されるなど地方自治制度の整備が進み、また、日清戦争の時期以降になると資本主義の発達も顕著になった。

問31　×　井原西鶴は元禄時代（5代将軍綱吉の時代）に活躍した作家。化政文化は江戸中心の庶民文化。小説では十返舎一九の「東海道中膝栗毛」、式亭三馬の「浮世風呂」、滝沢馬琴の「南総里見八犬伝」、俳諧では与謝蕪村・小林一茶、浮世絵では喜多川歌麿・東洲斎写楽・葛飾北斎・歌川（安藤）広重などが活躍した。

問32　○　「株仲間の解散」「人返し令」「上知令」などの改革がある。幕府の改革と前後して、諸藩でも藩政の改革が行われた。薩摩藩や長州藩では下級武士の登用、特産物の専売、借金の整理などを行い、国力を充実させ、近代的な軍備を整え、幕末から明治維新にかけて大きな役割を果たした。

問33　×　府知事・県令には政府の官吏が任命された。政府は1871年7月に全国の知藩事を罷免して東京に集め、公債を与えて生活を保障し、諸藩の負債を政府が肩代わりした。1873年には地租改正（土地所有者に地価の3％を現金で納めさせる）や、徴兵令を公布する。

問34　○　1877年、西郷隆盛を首領とした西南戦争が明治新政府に鎮圧された後、自由民権運動は全国的な広がりを見せた。黒田清隆による開拓使官有物払下げ事件で世論の政府攻撃は激しさを増し、政府は10年以内の国会開設を約束した。急進的な自由主義の自由党とイギリス風の議会政治を主張する立憲改進党（大隈重信）が結成された。

問35　○　日清戦争の始まり。日本は勝利し、翌年下関で講和条約を締結、日本からは伊藤博文・陸奥宗光、清から李鴻章が出席した。2億両の賠償金の支払い、台湾と遼東（リャオトン）半島の割譲などが決められたが、後に三国干渉を受け遼東半島は返還を申し入れた。

問36　○　大日本帝国憲法発布の前年である1888年に、市制・町村制を、1890年に府県制・郡制を公布して地方制度の基本を作った。日清戦争の影響としては、巨額の賠償金と新市場の獲得により産業革命が進展したこと、またそれにより貿易が拡大して金本位制が確立したことがあげられる。

次の記述で、正しいものには〇、誤っているものには×を付けよ。

問37
check!
□□□
日本は1902年、アメリカと同盟を結び、ロシアの南下政策に対抗した。1904年、日本とロシアは開戦し、日露戦争が始まった。

問38
check!
□□□
与謝野晶子は、明治の末に青鞜社を結成して女性解放を唱えた。さらに、大正時代には市川房江とともに新婦人協会を設立して女性の政治活動の自由を求める運動を展開した。

問39
check!
□□□
1925年、加藤高明内閣は、公約であった選挙権の納税条件を廃して、25歳以上の男子に一律に選挙権を与える「公職選挙法」を成立させた。同年、「治安維持法」も定め、社会主義・共産主義運動に対する弾圧は強まった。

問40
check!
□□□
1931年、関東軍は奉天近くの柳条湖で南満州鉄道を爆破し、それを中国側の仕業として戦闘を始めた。これを満州事変と呼ぶ。

問41
check!
□□□
1945年、日本はポツダム宣言を受諾し全面降伏した。戦後はGHQの指導の下で民主的な改革を行った。学制を発布し、6歳以上の男女すべてが小学校教育を受けることとした。

問37　✕　ロシアの南下政策に対抗しての同盟は、日英同盟が正しい。アメリカはモンロー主義によりアメリカ大陸以外のことには干渉しないという外交原則をとった。講和会議はアメリカの仲介でポーツマスの地で行われた。日本全権は小村寿太郎、ロシアはウィッテ。樺太の南半分、後の南満州鉄道を得たが、賠償金をとれなかったことで国民の不満は高まり日比谷焼き討ち事件が起きた。

問38　✕　与謝野晶子ではなく平塚雷鳥が正しい。第一次世界大戦後（1914 ～ 1918）は、ロシア革命の影響で民主主義的な運動が世界各地で前進した時代であった。日本でも米騒動をきっかけに、労働運動、農民運動、部落解放運動など大正デモクラシーの潮流を背景とした様々な社会運動が急速に拡大した。

問39　✕　公職選挙法ではなく「普通選挙法」が正しい。立憲政友会・憲政会・革新倶楽部の護憲三派は世論の支持を得て第二次護憲運動を起こし、加藤高明を首班とする護憲三派内閣が成立。犬養毅内閣が５１５事件（1932 年）で倒れるまで政党内閣は続いた。

問40　○　南満州鉄道爆破事件に続いて日本軍は、1932 年に満州国を建国したが、国際的に認められず（リットン調査団）、翌年日本は国際連盟を脱退した。国内では 1932 年に犬養毅首相が５．１５事件で暗殺され、政党政治は終わりを告げ、1936 年に起こった２．２６事件で軍部の発言力は決定的となる。

問41　✕　学制は明治新政府により 1872 年（明治５年）に発布されたもので、小学校４年間の義務教育を定めたもの。太平洋戦争後の民主化はＧＨＱのマッカーサーの指示により「婦人参政権（20 歳以上の男女）」、「農地改革」「財閥解体」「教育基本法（６・３・３・４制）」などが定められた。

次の記述を読んで、解答群から正解を 1 つ選べ。

問42
check!
☐☐☐

下の表は、1858 年（安政 5 年）5 月時点における幕府の大老・老中・若年寄の一部を一覧表にしたものである。

空欄　ア　の大老の在位期間は、1858 年（安政 5 年）4 月から 1860 年（万延元年）3 月までである。また、空欄　イ　の老中は、1855 年（安政 2 年）10 月に老中に就任して幕政を主導してきたが、1858 年（同 5 年）6 月、外交上の不手際を理由に罷免された。アの大老について述べた文①～③のなかから当てはまらないものを、また、イには当てはまる適当な人物を④～⑥のなかから、それぞれ 1 つずつ選び、その組合わせとして正しいものを、1～5 のなかから 1 つ選べ。

役職	姓　名	年　齢	領　地	石　高
大老	ア	44	近江・彦根藩	35 万石
老中	イ	49	下総・佐倉藩	11 万石
〃	久世　広周	40	下総・関宿藩	6 万石
他 3 名				
若年寄	本多　忠徳	41	陸奥・泉藩	2 万石
〃	遠藤　胤緒	66	近江・三上藩	1 万石
他 3 名				

※ 石高は、1 万石未満を四捨五入

　ア　の答え
①勅許を得ることができないまま、日米修好通商条約に調印した。
②公武合体運動を推進して、和宮を将軍家茂の夫人として迎えた。
③南紀派の代表で、一橋派を押え、紀州藩主の慶福（よしとみ）を将軍継嗣に決定した。

　イ　の答え
④阿部正弘　⑤堀田正睦　⑥徳川斉昭

答え（アーイの順に）
1 ①－④　　2 ②－⑤　　3 ③－⑥　　4 ①－⑤　　5 ②－⑥　　6 ③－②

問42　正解2

　　　アは井伊直弼のこと。公武合体運動は井伊直弼が桜田門外の変（1860年3月）で暗殺された後、権威の揺らいだ幕府が尊皇攘夷派の幕政批判をそらそうとしたもの。老中安藤信正（磐城平藩主）らが和宮の降嫁を強く朝廷に働きかけた。安藤信正は1862年1月、水戸藩浪士らにより坂下門外で襲われ（坂下門外の変）、重傷を負って失脚した。

　　　イは堀田正睦で阿部正弘の後を受けて幕政を担い、1858年1月、日米修好通商条約の勅許を求めたが、許されず、井伊大老の登場により、安政条約その他の外交処置不行届を理由に罷免された。

①　　1858年に結ばれ、全文14条からなる。治外法権（領事裁判権）を認め、関税の自主権がない（関税は相互で決定する）不平等条約で、後日、条約改正が重要課題となった（治外法権の撤廃は1894年、外相陸奥宗光のとき、関税自主権の回復は1911年、外相小村寿太郎のとき）。神奈川・長崎・新潟・兵庫・箱館（当時）の5港の開港が決められた。日米修好通商条約についで、オランダ・ロシア・イギリス・フランスとも同様の条約を結んだ。これらをまとめて安政5か国条約という。

③　　一橋派は徳川斉昭の子、一橋家の慶喜（よしのぶ）をおす親藩や外様大名中心の派。慶福は14代将軍家茂となり、一橋慶喜は15代将軍徳川慶喜となる。

④　　備後福山藩藩主で、水野忠邦の天保の苛政を除き、民衆の収攬に努めた。1853年のペリー来航のときは、事態を朝廷に報告した後、幕府の役人や諸大名、さらには浪人・町人にまで意見を徴した。翌年、日米和親条約を結び、下田と箱館を開港した。

⑥　　幕末の水戸藩主で、外交問題で井伊直弼と激しく対立した（安政の大獄）。15代将軍慶喜は斉昭の7男。

次の記述を読んで、解答群から正解を 1 つ選べ。

問 43
check!
□□□

A〜Dに入る「できごと」「文化」を選び、正しい組合わせを完成させよ。

西　暦	できごと	文　化	日本と外国との関係
600 年	・聖徳太子が摂政となる	飛鳥文化	・遣隋使の派遣 ・第 1 回遣唐使
		天平文化	
800	・平安京ができる		
	A		・遣唐使の廃止
1000	・藤原道長が摂政となる	国風文化	
			・日宋貿易が始まる
1200	・源頼朝が鎌倉に幕府を開く	鎌倉文化	
	B		
	・南北朝が合一される	D 文化	・日明貿易の開始
1400			
	C	東山文化	
		桃山文化	・南蛮貿易の開始
1600	・関が原の戦い		・朱印船貿易の開始
		元禄文化	
	・享保の改革		

ＡＢＣに入るできごと
　①後鳥羽上皇による承久の乱が起きる。
　②京都を中心に応仁の乱と呼ばれる大乱が起きる。
　③後醍醐天皇による建武の新政が行われる。
　④末法思想の広まりのなかから浄土教が生まれた。
　⑤唐より帰国した最澄、空海は天台宗、真言宗を広めた。

Ｄに入る語句
　⑥化政文化　　⑦北山文化　　⑧白鳳文化

答えの組合わせ	A	B	C	D
1	⑤	③	①	⑥
2	④	③	②	⑥
3	④	①	②	⑦
4	⑤	①	②	⑦
5	⑤	②	①	⑧

問43　正解4

①の承久の乱は 1221（承久3）年、後鳥羽上皇は北条義時追討の院宣を下し、諸国に武士の蜂起を求めたものである。しかし、幕府方の御家人の結束は固く、失敗に終わった。これにより貴族政権は決定的な敗北を喫し、北条氏による執権政治が確立した。

②応仁の乱は、1467 年に将軍家内部で義政の跡目争いに、有力守護大名家の家督争いがからんで起こった。その前(1441年)に起こった嘉吉の乱で、足利将軍の権力は弱体化し、守護大名の勢力が向上して将軍と対立するまでになっていたが、この大乱により戦乱は京都を中心に展開され、諸国に下剋上の風潮が生まれた。

③ 1334 年に始まった天皇親政も、実体は公家と武家の連立政権であり、しかも武士の力を過小評価して武士を無視することが多かった。その結果、建武の新政はわずか3年で崩壊する。

④摂関政治全盛（10C末〜11C前半）の時代は、京都で華やかな貴族生活が展開された反面、社会不安の増大・天変地異や地方政治の乱れもあり、加持祈祷や陰陽道による方違・物忌などの流行の中から末法思想の流行を迎えた。やがて来世に浄土を求める浄土教信仰が広がって行く。

⑤最澄（伝教大師）は 805 年に唐より帰朝、空海（弘法大師）は806 年に唐より帰朝した。ともに政教分離の政策に基づく山岳仏教であり、加持祈祷を中心とするため、密教とも呼ばれる。

⑥化政文化は 18 世紀の末から 19 世紀にかけて、11 代将軍徳川家斉の文化・文政の時代に栄えた文化で江戸を中心とした庶民文化である。幕府の厳しい統制により、文化は享楽的となり退廃的傾向も見られたが、合理的・科学的精神も生まれ、幕藩体制の動揺を直視し、批判する考え方も生まれた。

⑦北山文化は 15 世紀はじめの3代将軍足利義満の頃の文化で、京都北山にある鹿苑寺金閣に代表される文化である。水墨画など禅宗を通して中国文化（宋・元・明）の影響が強く見られる。

⑧白鳳文化は天武・持統・文武天皇の時代の文化で、大化の改新（645）から平城京遷都（710）までの約 60 年間の文化。律令国家の発展期にふさわしい、明朗で清新な貴族文化であり、初唐の影響を受けた仏教文化としての特色を持つ。

次の記述で、正しいものには〇、誤っているものには×を付けよ。

問1 check! □□□
中国広東省の深圳（シェンチェン）、福建省の厦門（アモイ）、海南省の海南島などは経済特区と呼ばれ、外国資本の導入により、工業・商業・金融などの総合的な開発を進めている都市（地区）である。

問2 check! □□□
南米アルゼンチンはパンパと呼ばれる豊かな草原地帯を有し、小麦・とうもろこし・大豆などを栽培している。また、肉牛の飼育も盛んで、この国にとって日本は小麦の最大の輸出国となっている。

問3 check! □□□
アフリカ大陸南端の国、南アフリカ共和国では、長い間人種差別の政策が行われていたが、現在ではその法律も撤廃された。1992年に開催されたオリンピックでは参加は認められたが、人口の過半数を占める白人が依然として政治・経済の中心にあり、様々な問題が残されている。

問4 check! □□□
アメリカ合衆国で工業化の進んだ大西洋岸のボストンからワシントンにかけての地域はメガロポリスと呼ばれ、大都市が連なり、アメリカの経済・政治・文化の中心地となっている。ここに位置するニューヨークはこの国最大の都市である。

問5 check! □□□
東南アジアに住む人々は大半が黄色人種で、稲作を基礎とした生活文化を築いてきた。欧米各国の植民地時代はプランテーション作物の加工や国内消費向けの軽工業が中心であったが、独立後は各国とも工業の発展に力を注いでいる。宗教は地域により大きな違いがあるが、キリスト教はほとんど信仰されていない。

問6 check! □□□
アルプス山脈より流れ出て北海に注ぐドナウ川の流域では、主に畑作と牧畜を組み合わせた混合農業や酪農が行われている。

問1　○　いずれも中国が外国の資本や技術の導入のために設定した特別都市（地域）であり、ほかに珠海（チューハイ）、汕頭（スワトー）がある。中国では農業も人民公社から生産責任制へと大きく転換した。中国の産業としては東北区や華北は畑作中心、華中と華南は稲作中心、鉱産資源の産地として、ターチン油田・ションリー油田、露天掘りのフーシュン炭田、アンシャン鉄山・ターイエ鉄山などを押さえておくとよい。

問2　×　パンパは「ヨーロッパの穀倉」ともいわれ、小麦は主にヨーロッパに輸出される。アルゼンチンは1816年、スペイン領より独立。住民は白人系が多く、言語はスペイン語である。

問3　×　設問文の前半は正しいが、人口の約8割は黒人が占めている。1652年以来オランダ人が入植し、1814年イギリスがこれを占領した。世界的非難を浴びたアパルトヘイト政策は1991年までに全廃された。金・ダイヤモンドは世界有数の産出を誇る。

問4　○　メガロポリスはボストンからワシントンまで約700km続いている。ニューヨークには国連の本部が置かれており、世界の政治・経済の中心。他の地域でも自動車のデトロイト、半導体産業のシリコンバレー、石油化学工業・宇宙関連産業のヒューストン、航空機産業のロサンゼルスなど、特色のある都市も数多くあり、アメリカ合衆国は世界最大の工業国で世界最大の農業国である。

問5　×　フィリピンはスペインとアメリカの植民地となったため、住民の多くがキリスト教を信仰している。東南アジアの国々が欧米列強の植民地となっていくなかでタイはイギリスとフランスの緩衝地として独立を保った。プランテーションでは天然ゴムなどの商品作物が栽培された。

問6　×　ドナウ川ではなくライン川が正しい。ライン川は国際河川で流域では金属、機械、化学などの工業も盛んである。流域の工業地帯はルール工業地帯（ドイツ）と呼ばれヨーロッパ最大の工業地帯。

地理

次の記述で、正しいものには〇、誤っているものには×を付けよ。

問7
check!
□□□

オーストラリアは 18 世紀末にイギリス人が入植し、イギリスとの関係が深かった。今日では最大の輸出相手国は中国であり、アジア諸国との結び付きも強い。

問8
check!
□□□

イギリスはかつて綿花の生産国で、産業革命では綿製品の機械生産の開始が重要な役割を果たした。現在では綿花の主な産地である中国や旧ソ連、アメリカ合衆国などが綿工業国となっている。

問9
check!
□□□

中央アンデスの山地では、農業集落は標高 2,000m から 4,000m に多いが、大部分の都市は交通の便利な標高 1,000m 以下の地帯にある。

問10
check!
□□□

インドは国民の大多数がヒンズー教徒で、米を中心に小麦・茶・綿花・ジュートなどを栽培している。隣国パキスタンとは宗教上の対立もあり、紛争が続いた。

問11
check!
□□□

ナイジェリアはアフリカ最大の人口大国で、日本とほぼ同じ人口を有する。また、アフリカ最大の産油国でもあり、輸出の大部分は原油が占めている。

問12
check!
□□□

世界地図によく利用されるメルカトル図法は、高緯度ほど面積が拡大されるという欠点を持つが、方位は正しく表わされる。

問13
check!
□□□

中生代から新生代にできた比較的新しい山地には、太平洋を取り巻くように続いている環太平洋山地帯とヨーロッパより続くアルプス＝ヒマラヤ山地帯がある。

問7　○　日本は鉄鉱石、石炭、液化天然ガスなどの地下・エネルギー資源をこの国に依存している。自動車、石油製品などが日本から輸出されている。中国が最大の輸出相手国である。

問8　×　イギリスではかつて綿工業が栄えたが、綿花は主にインドより輸入していた。また、近年はNIESにおいて海外より資本と技術を積極的に導入し、賃金水準の低い豊富な労働力を武器に急速な工業化がみられる。

問9　×　アンデスの高地では、標高2,000mから3,500mの地帯に都市や集落が集中している。やや冷涼な気候だが、気温の年較差の小さい高山気候。インディオと呼ばれる人々がジャガイモ、サトウキビ、小麦など異なる作物を自然条件を活かして栽培している。

問10　○　人口は13億人を超え、中国を抜いて世界第1位（2023年）。第二次世界大戦後ヒンズー教徒を主とするインドとイスラム教徒を主とするパキスタンに分かれて独立した。カースト制度と呼ばれる厳しい身分制度は根強く残っている。わが国は鉄鉱石を輸入している。

問11　○　ギニア湾に面する連邦共和国。かつては奴隷貿易の中心地で19世紀以来イギリス領だったが、1960年に独立。ギニア湾に面した国としては、ほかにカカオの生産で有名なコートジボアールやガーナなどがある。

問12　×　方位を正しく表わす図法としては、心射図法や正距方位図法などがある。面積を正しく表わす正積図法としては、サンソン図法、グード図法、モルワイデ図法などがある。メルカトル図法では、等角航路を直線で示すことができるという利点があるため、今日でも主として海図に用いられる。

問13　○　環太平洋山地帯はアンデス山脈からロッキー山脈、千島列島、日本列島を経て、フィリピン、ニューギニア、ニュージーランドまで太平洋を取り巻くように続いている。新しい山地は現在なお活動中で、地震や火山の噴火が起きやすい。

地理

次の記述で、正しいものには○、誤っているものには×を付けよ。

問 14
check!
□□□
国土の４分の１が海面下にあるオランダでは、ポルダーと呼ばれる干拓地で園芸農業が行われている。また、ライン川河口の首都アムステルダムにはＥＵの玄関港のユーロポートが建設された。

問 15
check!
□□□
ヨーロッパの住民は、大きくゲルマン、ラテン、スラブの３つの民族に分けられる。西ヨーロッパや北ヨーロッパはゲルマン民族が多く、カトリックの信者が中心である。

問 16
check!
□□□
三大洋とは、太平洋、大西洋、南氷洋のことである。

問 17
check!
□□□
合衆国南部（北緯 37 度以南）の温暖な地域はサンベルトと呼ばれる。近年、その北部地域の繊維工業が衰退してきたが、テキサス州などでは、綿工業の発達が著しい。

問 18
check!
□□□
フィヨルドとはＵ字谷を持つ山地が沈水してできた海岸地形を指す。水深は一般的にはリアス式海岸より浅い。フィヨール、峡湾とも呼ばれる。

問 19
check!
□□□
ピッツバーグはアパラチア炭田の中心都市で、かつては「鉄の町」として知られた工業都市である。近年は製鉄業に代わって高度技術集約型工業が都市の発展を支えている。

問 20
check!
□□□
ウクライナを中心に分布する石灰質に富む肥沃な黒色の土壌はチェルノーゼムと呼ばれ、インドのデカン高原に分布する玄武岩を母岩とする肥沃な黒色土はレグールと呼ばれる。

問14　✕　首都はアムステルダムだがEUの玄関港になっているのはロッテルダム。オランダは酪農が盛んで、環境先進国としても有名である。

問15　✕　プロテスタント系の信者が多い。カトリックの信者はラテン民族が多いフランスや南ヨーロッパに多くみられる。東ヨーロッパやロシアには、スラブ民族が多く、正教会派（ギリシャ正教）が中心。

問16　✕　南氷洋（南極海ともいう）ではなくインド洋が正しい。同じようにユーラシア大陸、アフリカ大陸、南北アメリカ大陸、オーストラリア大陸、南極大陸は六大陸と呼ばれる。ユーラシア（Eurasia）とはヨーロッパ（Europe）とアジア（Asia）にまたがる大陸の意味。

問17　✕　テキサス州はヒューストンの石油化学・宇宙産業、ダラスの航空機産業・電子工業が盛んで、近くのフォートワース、鉄鋼業のバーミンガム(アラバマ州)とともにシリコンプレーンと呼ばれる。

問18　✕　フィヨルド海岸は氷河が削ったU字谷に海水が浸入した海岸線のこと。両岸は絶壁をなし、滝がかかっているところも多い。湾は細長く100kmを超えるところもみられる。ノルウェー西岸、チリ南部、アラスカ州などに見られる。

問19　〇　五大湖からアパラチア山脈北部の地域は、メサビ鉄山とアパラチア炭田とを五大湖の水運で結び付けて発達したアメリカ最大の工業地域であった。そのほかの都市として、農産物の集散地であるシカゴ、自動車工業のデトロイトなどがある。

問20　〇　チェルノーゼムでは小麦が、レグール土では綿花の栽培が行われている。そのほか、肥沃な土地として地中海沿岸に分布する赤褐色のテラロッサ（果樹や小麦の栽培）、中国の華北地方に分布する黄土、合衆国中央平原のプレーリー土、アルゼンチン南部のパンパ土などがある。

次の記述で、正しいものには〇、誤っているものには×を付けよ。

問 21
check!
□□□
地球は、半径が約 6,400km、全周は約 40,000km の球体である。海と陸の割合は約 6：4 で、陸地は南半球より北半球に多い。

問 22
check!
□□□
インダス川はヒマラヤ山脈に源を発し、インド北部を東流してベンガル湾に注ぐ、インドの大河である。

問 23
check!
□□□
偏西風とは緯度 40 度〜 60 度の地域で年中吹いている西寄りの風のことで、西ヨーロッパ地域などでは西岸海洋性気候をもたらす。

問 24
check!
□□□
ヨーロッパは日本よりも高緯度にあるが、気候は比較的温和であって、東に向かうにつれて気温の年較差が大きい大陸性気候になる。また、地中海地方は温帯にあり、夏に降水量が多い。

問 25
check!
□□□
フェーン現象とは、一般的に海洋上の湿った風が山地を越えて吹き降りるとき、気温が上がって乾燥する現象をいう。

問 26
check!
□□□
イギリスは、自動車や航空機の生産国であると同時に、チーズや小麦の輸出国でもある。1789 年の革命時に、自由、平等、私有財産の不可侵などをうたった人権宣言を発表した。

問21　✕　海と陸の割合は 71：29 で約 7：3。陸地面積の 3 分の 2 が北半球にある。地球を陸の多い半球と海の多い半球に分けたとき、陸の多い半球を陸半球、海の多い半球を水半球という。

問22　✕　ガンジス川を指す。インダス川はチベットに源を発し、インド北西部からパキスタンを流れ、アラビア海に注ぐ大河。設問文以外にも、ライン川（アルプス山脈よりフランス・ドイツを経て北海へ）、ドナウ川（ドイツのシュバルツバルト東部よりオーストリア・ハンガリー・バルカン諸国を経て黒海へ）など世界の大河を確認しておく。

問23　○　中緯度地方を吹く風のこと。南北両半球にあり南半球でも西風となる。西ヨーロッパの温和な気候に影響を与えている。そのほかに貿易風とは緯度 30 度付近から赤道に向かって吹く風のことで、地球の自転の影響で、北半球では北東風、南半球では南東風となる。日本列島は季節風（モンスーン）の影響を受ける。

問24　✕　地中海地方は夏の降水量が少なく、冬の降水量が多い。ヨーロッパは高緯度のため、夏も気温はあまり上がらないが、冬は緯度のわりには寒くはない。暖流の北大西洋海流とそれによって温められた空気を偏西風が運んでくることによる。

問25　○　フェーンはもともとはアルプス地方で冬から春にかけて吹く南風のこと。乾燥して高温となり、山火事などの原因となることもある。わが国では春や夏に日本海側や内陸の盆地で多く発生する。2007 年 8 月 16 日に最高気温を記録した埼玉県熊谷市の 40.9℃も、この現象によるものである。

問26　✕　フランスのこと。フランスは E U 最大の農業国で食料はほぼ自給でき、中部や西部の丘陵地ではぶどうの栽培が盛ん。また、南部の地中海沿岸は、オリーブやぶどうの果樹栽培が行われ、やや雨の降る冬に小麦が栽培される。小麦や果樹栽培に羊ややぎなどの飼育を組み合わせた農業は地中海式農業と呼ばれている。

次の記述で、正しいものには○、誤っているものには×を付けよ。

問27
check!
□□□

マレーシアは東南アジアの赤道付近に位置する、マレー人による単一民族国家である。日本は、この国から熱帯木材をもっとも多く輸入している。

問28
check!
□□□

ユーラシア大陸東岸や北米大陸東岸には乾燥地域が存在しない。それは、夏冬で風向きが反対となる貿易風が発達し、スコールをもたらすためである。

問29
check!
□□□

アラスカやカナダの北部、北ヨーロッパ、シベリア北部などの北極圏の地域では最も日の長い夏至のころに、1日中空が明るい白夜という現象がみられる。

問30
check!
□□□

アフリカ大陸の中東部に位置するケニアはほかのアフリカの諸国と同様に植民地支配を受けた後に1963年にフランスより独立した。

問31
check!
□□□

沈水海岸の代表的な地形に、エスチュアリー・フィヨルド・リアス海岸があり、それぞれ異なった条件の下で形成される。

問27　×　マレー系が中心だが、ほかに華人と呼ばれる中国系やインド系の人々がいる。経済的には華人の力が強い。マレー系優先政策（ブミプトラ政策）がとられ、都市部にもマレー系の人々が増えてきた。日本への熱帯材（ラワン材）の輸出により、森林破壊が大きな問題となっている。地下資源には恵まれるが、米は自給できずタイから輸入している。

問28　×　夏冬で風向きが反対になる風は季節風（モンスーン）。スコールは熱帯雨林気候や熱帯モンスーン気候の地域に見られる激しく降る雨を指す。乾燥地域が存在しない理由としては、温帯低気圧が発生・発達しやすく、周期的に雨天となること、夏季に亜熱帯高気圧の影響で降水量が多くなること、台風やハリケーンの影響で大雨が降ることなどが挙げられる。

問29　○　これらの地域では短い夏の間だけ草やこけが育つツンドラと呼ばれる樹木のない湿地帯が広がっている。冬至のころは、反対に夜が長く、昼間でも暗い日が続く。冬至のときに、南半球で太陽が沈まない範囲を南極圏という。

問30　×　フランスではなくイギリスが正しい。貿易は輸出入ともイギリスが多い。代表的な輸出品の１つが茶でその生産量はインド、中国などについで世界でも有数。コーヒーも多く輸出されており、植民地時代のプランテーションに由来する。気候は地域により熱帯モンスーン（インド洋沿岸）、内陸のサバナ気候、ナイロビ付近の高山気候など多様である。

問31　○　エスチュアリーは、地殻運動が小さく、河川の勾配がゆるやかで、土砂の流入の少ない河口部に作られ、イギリス・フランス・ドイツなどの北海や大西洋の沿岸に見られる。リアス海岸は、河川によって作られた多くの谷に海水が浸入しておぼれ谷ができ、出入りの多い海岸になったもの。日本では三陸海岸、長崎県、志摩半島、若狭湾などに見られる。

地理

次の記述で、正しいものには〇、誤っているものには×を付けよ。

問 32
check!
□□□

世界の陸地の約 25%は平野である。平野には、古い時代にできて広大な面積を持つ沖積平野と、大きな川の流域にできた新しい構造平野がある。

問 33
check!
□□□

日本の石油政策は、石油危機以降、安定供給の確保のために輸入先の分散化（脱中東化）を目標の 1 つとしてきた。その結果、2009 年には中国や東南アジアの国々からの輸入量が、中東諸国からのそれを初めて上回った。

問 34
check!
□□□

2022 年のわが国の粗鋼生産は、約 8,900 万トンで、インドに次いで、世界第 3 位である。

問 35
check!
□□□

ブラジル、サンパウロ州の北側のミナスジェライス州以北に広がる荒地はレグールと呼ばれやせた草地であったが、施肥、灌漑、機械化によって農地が開発された。

問 36
check!
□□□

ヨーロッパ南部の地中海に面したイタリアは、北部にアルプス山脈がそびえ、そこから流れるポー川流域に平野が広がる。北部は山がちで産業の発展が遅れているが、南部は自動車工業などの重工業が盛んである。

問32　×　構造平野が古く、沖積平野は新しい。主な構造平野には北米大陸の中央平原、南米のアマゾン盆地、東ヨーロッパ平原、西シベリヤ低地などがある。また、沖積平野には、黄河下流の華北平原、ガンジス川流域のヒンドスタン平原や、大河川の三角州や扇状地が挙げられる。

問33　×　中東諸国への原油依存度は相変わらず高い。2022年においても、輸入量の多い国はサウジアラビア、アラブ首長国連邦、クウェート、カタールと続く。中国や東南アジアからの原油輸入額の割合は、ほんのわずかにすぎない。

問34　○　粗鋼生産量は、中国が圧倒的に大きく、わが国の11倍以上に及んでいる。なお、日本は2000年以降、中国に次ぐ世界2位の生産量であったが、2018年にインフラ整備が進むインドに抜かれ、3位となった。2022年の鉄鋼業の主要原料の輸入先は、鉄鉱石①オーストラリア②ブラジル③カナダ、原料炭①オーストラリア②インドネシア③カナダ、となっている。

問35　×　レグールではなく、セラードが正しい。とうもろこし、大豆、コーヒーなどが栽培されている。レグールは肥沃な黒色土で、インドのデカン高原は有名。ブラジルの公用語はポルトガル語で、西部にアンデス山脈、赤道直下にアマゾン川を有す。さとうきび・コーヒーはブラジルを代表する作物だが、近年の工業化はめざましく、ＮＩＥＳに数えられている。

問36　×　北部のトリノ、ミラノ、ジェノバを結んだ三角地帯はイタリアの工業の中心となっている。軽工業の分野でも繊維（衣服）、ハンドバッグはブランド品として知られる。南部は山がちで産業の遅れが目立つ。北部の工業地域やＥＵ諸国へ季節的な出稼ぎに行く人も多い。南北の経済格差をなくす政策が進められている。

地理

次の記述で、正しいものには〇、誤っているものには×を付けよ。

問 37 check! □□□
瀬戸内海一帯の地域は年間を通して降水量が少なく、冬は晴天の日が多く、夏と冬の寒暖の差が日本の他の地域に比べて小さい。

問 38 check! □□□
北海道の十勝平野では、畑作物の栽培や乳牛の飼育などが行われている。てんさいは、この地域の中心都市や周辺の町にある製糖工場で加工され、しぼりかすは飼料として利用されている。また牛乳は約9割が本州へ輸送されて乳製品に加工されている。

問 39 check! □□□
鹿児島県や宮崎県の南部はシラスと呼ばれる火山灰地からなり、大型機械を使って開墾するパイロットファームや新酪農村が建設されたところである。

問 40 check! □□□
川が山地から平地へ流れる所にできた緩傾斜の地形を三角州という。流れが急にゆるやかになって砂礫をたい積した結果、下流に向かって広がる沖積地を作ったものである。

問 41 check! □□□
日本の地形図は国土交通省の国土地理院により作成され、縮尺2万5千分の1と5万分の1がその代表である。また地図上で海面からの高さの等しい地点を結んだ曲線を等高線という。

問 42 check! □□□
四国の讃岐平野には大きな川がなく、年降水量も少ないことから、古くからため池の水が灌漑用として利用されてきたが、現在では吉野川の水も利用している。

問 43 check! □□□
わが国の産業に必要な工業原料のなかで、輸入依存度が90%を超えるものに石油・石炭・鉄鉱石・木材があり、自給率が高いものとして石灰石がある。

問37　○　日本列島は夏に南東の、冬に北西の季節風の影響を受ける。一般に太平洋側は夏に降水量が多く、日本海側は冬に積雪が多くなる。瀬戸内海一帯は中国山地と四国山地にはさまれて、特色のある気候となっている。内陸地方は夏と冬、また1日のなかでも気温の差が他の地域に比べて大きくなることが特徴といえる。北海道は梅雨と呼ばれる期間がほとんどない。

問38　×　十勝平野は大消費地から離れているため、生産される牛乳の大半は地元で乳製品に加工される。

問39　×　パイロットファームや新酪農村が建設されたのは北海道の根釧台地一帯。最近は牛乳価格低迷で酪農をやめる農家も多くなった。一方、九州南部のシラス台地はダムや灌漑設備、土地改良が大規模に行われ、茶・たばこ・野菜・飼料作物の畑作地帯となっている。

問40　×　三角州ではなく扇状地が正しい。山梨県の甲府盆地は釜無川・笛吹川などによる複合扇状地でぶどうや桃の果樹栽培は有名。三角州は川の水が運搬した土砂が、河口にたい積して生じたほぼ三角形をした土地のこと。デルタともいう。

問41　○　2万5千分の1の地図上で3cmの実際の距離は3cm×2万5千で求める。等高線で太い実線は計曲線、細い実線は主曲線と呼ばれる。2万5千分の1の縮図上では計曲線は50mごと、主曲線は10mごとに、また5万分の1の縮図ではそれぞれ100m、20mで表わされる。

問42　○　吉野川の水を引いた香川用水の水は灌漑用水としてだけではなく、上水道・工業用水としても利用している。香川用水の完成により埋め立てられたため池もある。

問43　×　木材は輸入依存度が60％程度で、90％を超えてはいない。石油・石炭・鉄鉱石については、まさにその通り。石灰石は日本が自給できる数少ない資源で、セメント・化学肥料の原料となる。

次の記述で、正しいものには〇、誤っているものには×を付けよ。

問 44
check!
□□□
九州地方西方の東シナ海や黄海には、大陸棚と呼ばれる水深200 mぐらいまでのゆるやかに傾いた海底が広がっており、大規模な漁法のまき網漁や底引き網漁が盛んに行われている。

問 45
check!
□□□
歯舞諸島、沖ノ鳥島、国後島、択捉島の4島は北方領土と呼ばれ、その返還を求めてロシアとの間で交渉が続けられている。

問 46
check!
□□□
日本の東端（およそ東経154度）と西端（およそ東経123度）とでは、日の出に約1時間の時差がある。

問 47
check!
□□□
扇状地は川が平野に出るところに形成され、扇央（中央部）は水利に恵まれるので穀倉地帯として適している。甲府盆地や富山県にみられる。

問 48
check!
□□□
高知平野は、きゅうり・なす・ピーマンなど夏野菜の促成栽培が盛んである。これらの野菜類は発達した交通機関を利用して、京浜や京阪神を初め全国各地に送られている。

問 49
check!
□□□
倉敷・大分・北九州・君津・福山では鉄鋼業が、広島・鈴鹿・豊田・狭山・日野の都市群では自動車工業が盛んである。

問 50
check!
□□□
笠野原台地では、ダムから用水が引かれるようになって、野菜や飼料作物、茶などの作物が計画的に作られるようになった。

問44　〇　東シナ海・黄海に広がる大陸棚は西海漁場と呼ばれる好漁場で根拠地は長崎・佐世保・平戸など。また大陸棚は近年、鉱産資源の宝庫としても注目を浴びている。まき網では、イワシ・アジ・サバなどをとり、底引き網ではエビ・タイ・カレイなどをとる。

問45　×　沖ノ鳥島は日本国土の最南端の島で、正しくは色丹島。最北端の島は択捉島、東端は南鳥島、西端は与那国島である。そのほかの領土問題としては、尖閣諸島をめぐって中国と、竹島をめぐっては韓国と領有問題が続いている。

問46　×　経度15度につき1時間の時差。よって、日の出には約2時間の時差がある。東京は東経140度（日本標準時は135度）。ロンドンの旧グリニッジ天文台を通る子午線を0度とするため、東京とロンドンの時差は約9時間となる。

問47　×　扇央は砂質が粗く、水無し川となるため穀物は育ちにくい。果樹園とかに利用されることが多い。地域は正しい。

問48　〇　高知平野は温暖で雨が多くかつては二期作が行われていたが、近年はほとんど見られなくなった。また、九州の宮崎平野も促成栽培が盛んで産地間での競争も激しくなっている。輸送にはトラックやフェリーなどが使われている。

問49　〇　そのほか、石油化学工業の盛んな都市群としては、徳山・四日市・市原・大竹・岩国など、電気（電子）機械工業の盛んな都市群としては、門真・熊本・日立・郡山・秋田などがある。

問50　〇　シラス台地の開発のこと。水もちの悪いシラス台地は、畑作に利用され、サツマイモ・茶・タバコや飼料作物が栽培されている。また、肉牛・豚・ブロイラー（食用鶏）も大規模に飼育されている。

地理

次の記述で、正しいものには○、誤っているものには×を付けよ。

問51
check!
□□□
東北地方の北東部沿岸地域では、北陸地方同様に積雪量が多く冬の寒さが厳しい。夏は冷たい北東風により冷夏となり、農作物が冷害に見舞われることがある。

問52
check!
□□□
野辺山原では、レタス・キャベツ・白菜・セロリなどの高原野菜の栽培が盛んである。低地とは異なる時期に出荷されるため、有利な価格で販売されている。

問53
check!
□□□
日本は、石油や石炭などの資源を大量に輸入して工業製品を輸出する加工貿易で発展してきたが、近年の輸入品では機械類の占める割合が大きくなってきている。

問54
check!
□□□
1988年に愛媛県と岡山県を結ぶ瀬戸大橋が開通したことにより、四国と本州は自動車道と鉄道でつながり、人の往来も物の輸送も盛んになった。

問55
check!
□□□
日本列島は、ユーラシアプレートの下に、太平洋プレートとフィリピン海プレートがもぐりこむ地域にあたる。この3つのプレートがぶつかるところに富士山がある。

問56
check!
□□□
本州中央部には飛騨山脈・越後山脈・赤石山脈が連なり、日本アルプスと呼ばれている。日本の屋根とも呼ばれ、3,000mを超える山が多い。

問57
check!
□□□
阿賀野川と信濃川の下流域に広がる庄内平野は、かつては水はけが悪く湿田が多いうえ、洪水の被害も多かった。現在は放水路や排水施設の充実により乾田化され、代表的な水田地帯となっている。

問51　×　積雪量が多いのは日本海側。冷たい北東風はやませと呼ばれ、冷害の原因となる。三陸海岸の南部は代表的なリアス海岸で、天然の良港に恵まれている。りんご・ぶどうなどの果樹栽培のほかに酪農も盛んである。

問52　○　同じく長野県の菅平の高原、八ヶ岳・浅間山の山麓も高原野菜の産地。夏の涼しい気候を利用して栽培され、春から夏に出荷する抑制栽培の農業は高冷地農業と呼ばれる。群馬県の嬬恋村も高原野菜の産地として有名。

問53　○　かつては原油、液化天然ガス、金属原料などのエネルギー資源や原料が輸入品の主要なものだった。近年では、輸入品は機械類が最も多く、石油・液化ガス・衣類などと続いた。農産物の輸入自由化により、食料品の輸入も増えている。

問54　×　愛媛県ではなく、香川県。児島・坂出ルートと呼ばれる。1998年には神戸・鳴門ルート（明石海峡大橋と大鳴門橋）、1999年に尾道・今治ルート（しまなみ海道）がそれぞれ開通した。

問55　○　地球の表面は、十数枚のプレートと呼ばれる岩盤から作られており、それぞれのプレートは動いており、プレートがぶつかるところでは、地震や火山が多く、海には海溝や火山島、陸には山脈や断層が作られる。

問56　×　越後山脈ではなく木曽山脈が正しい。それぞれ、北アルプス・中央アルプス・南アルプスと呼ばれる。日本の山地は本州の中央部を通る大地溝帯（フォッサ＝マグナ）を境として、中部地方より東では南北に、西ではほぼ東西に延びる。

問57　×　庄内平野ではなく越後平野が正しい。信濃川は日本最長の川。新潟県は東北地方と並ぶ日本の穀倉地帯で米の単作地帯。コシヒカリなどのブランド米が多い。米沢・山形・新庄の各盆地と庄内平野を通って酒田で日本海に流れ注ぐのは最上川である。

次の記述で、正しいものには〇、誤っているものには×を付けよ。

問58
check!
□□□

わが国の果実生産は、生産者の高齢化に伴う労働力不足により、管理不良園や老木園の廃園があり、栽培面積は毎年減少傾向にある。

問59
check!
□□□

茨城県にある鹿島臨海工業地域は天然の良港を利用して、大規模な石油化学コンビナートや製鉄所が建設された。

問60
check!
□□□

阿賀野川下流域は、1960年代初めに水銀による公害が発生し、多くの人々が被害を受けた。

問61
check!
□□□

鹿児島県や宮崎県は日本有数の畜産県である。最近は安価な外国産の肉類に対抗するため、個人経営から、商社やスーパーマーケット、食肉会社などの食料品会社が資金を出して経営改革を進めている。

問62
check!
□□□

濃尾平野の西部は低湿地が広い。木曽川・長良川・揖斐川の下流の地域は水郷地帯と呼ばれ米作が盛んである。

問63
check!
□□□

釧路や根室などで行われている、さけやますの卵を人工的に孵化させ、放流して水産資源を増やす漁業のことを、養殖漁業と呼ぶ。

問 58　○　国内生産も長期的には減少傾向にあり、それに伴って輸入量が増加している。主な果物の生産量は、みかん①和歌山②愛媛③静岡、ぶどう①山梨②長野③岡山、桃①山梨②福島③長野、りんご①青森②長野③岩手、オウトウ①山形②北海道、日本ナシ①千葉②茨城③栃木などとなっている（2022年）。

問 59　×　南東部の砂丘地帯に、掘込み式の人工港を作った。霞ヶ浦、北浦などの豊かな水を利用した工業地域である。鹿島町は1995年の市制施行より、漢字を鹿嶋市とした。市の西には、筑波研究学園都市が、北には国内第1号の原子力発電所が建設された東海村がある。

問 60　○　同様の有機水銀による公害が九州の水俣湾岸でも発生し、水俣病と呼ばれたことから、阿賀野川下流で発生したこの公害を新潟水俣病（第二水俣病）と呼んでいる。神通川下流（カドミウム汚染による）のイタイイタイ病、三重県四日市市（亜硫酸ガスによる）四日市ぜんそくを合わせて四大公害病と呼ぶ。

問 61　○　家畜の頭数を多い順に都道府県別に並べると、乳用牛①北海道②栃木③熊本、肉用牛①北海道②鹿児島③宮崎、豚①鹿児島②宮崎③北海道、採卵鶏①茨城②千葉③鹿児島、肉用若鶏①鹿児島②宮崎③岩手となる（2023年2月1日現在）。

問 62　×　水郷ではなく輪中と呼ばれる。近年排水工事が進んで、二毛作も可能となっている。濃尾平野の東部から知多半島にかけては、畑が多く、都市向けの野菜や草花を栽培する近郊農業が盛ん。この地域は木曽川より取水する愛知用水が作られた。

問 63　×　栽培漁業と呼ぶ。2022年のわが国の漁獲量は約295万トン（日本は世界第8位の漁獲量）だが、減少傾向にある。「とる漁業」から「育てる漁業」への転換が、ますます重要となっている。1980年代に漁獲量の多かった沖合漁業も、大きく減少している。なお、栽培漁業は最終的には放流するが、養殖漁業は出荷まで放流をしない。

地理

次の記述で、正しいものには〇、誤っているものには×を付けよ。

問 64
check!
□□□
日本列島の近海には暖流と寒流が流れている。暖流には日本海流（黒潮）と対馬海流が、寒流には千島海流（親潮）とリマン海流がある。

問 65
check!
□□□
愛知県を中心とした中京工業地帯の工業出荷額の伸びは著しく、現在では京浜工業地帯をしのいで、日本第1位の総合工業地帯となっている。

問 66
check!
□□□
静岡県の牧の原台地は、日当たりも水はけもよく、みかんの栽培が盛んで、全国でも有数の産地となっている。

問 67
check!
□□□
日本各地には、地域の環境を生かした独特の技術を受け継いで発展してきた伝統工業が見られる。石川県の輪島塗、高知県の土佐和紙、奈良県の奈良筆などがある。

問 68
check!
□□□
世界遺産条約に基づき、わが国では4件の自然遺産と19件の文化遺産、計23件が世界遺産として登録されている（2021年7月末現在）。

問64 ○　赤道方面より極に向かって太平洋側を暖流の日本海流と日本海流から分かれた対馬海流が日本海側を流れる。また、極方面より赤道方面に向かって、太平洋側を千島海流、日本海を大陸に沿ってリマン海流が流れる。対馬海流は日本海側の気候に、千島海流は東北地方の太平洋側の気候に影響を与えている。黒潮と親潮のぶつかる三陸海岸の沖は有数の好漁場として知られる。

問65 ○　自動車工業を中心とした機械工業（豊田市）、古くからの繊維工業（一宮・尾西）、陶磁器などの窯業（瀬戸や岐阜県の多治見）など。鉄鋼業は東海市で盛ん。三大工業地帯の出荷額は、2020年で①中京、②阪神、③京浜となっている。

問66 ×　牧の原、三方原の台地は日本一の茶の産地となっている。みかんは駿河湾沿岸の丘陵を中心に栽培が行われている。久能山（清水市から静岡市へ）の石垣イチゴ、伊豆半島のメロンも有名。水産業も盛んで焼津、清水は遠洋漁業の基地で、浜名湖ではうなぎの養殖も行われている。沿岸部の浜松（楽器・オートバイ）、静岡（旧清水、石油精製・食料品）、富士市と富士宮市（製紙・パルプ）など東海工業地域を形成している。

問67 ○　そのほかの伝統工業には、沖縄県の琉球紅型・与那国織、佐賀県の有田焼・伊万里焼、京都の西陣織・友禅染（京友禅）、富山県の高岡銅器、新潟県の小千谷縮、宮城県旧鳴子町（現大崎市鳴子温泉）の宮城伝統こけし、埼玉県旧岩槻市（現さいたま市岩槻区）や東京都台東区の江戸木目込人形、岩手県盛岡市の南部鉄器、秋田県大館市の大館曲げわっぱ、などがある。

問68 ×　2021年7月に、「奄美大島、徳之島、沖縄島北部及び西表島」（自然遺産）と「北海道・北東北の縄文遺跡群」（文化遺産）が新たに登録され、わが国の世界遺産は、5件の自然遺産と20件の文化遺産、計25件が世界遺産として登録されている。

次の記述を読んで、解答群から正解を1つ選べ。

問 69
check!
□□□

下表A国〜E国は、インド、中国、オーストラリア、フランス、ドイツのいずれかの国の輸出品目と輸出額、およびその輸出総額に占める割合を示している。それぞれの国の正しい組合せを、1〜5のなかから選べ。

（単位は億ドル。資料は2021年のもの）

A　国	鉄鉱石	石炭	液化天然ガス	金	肉類
輸出総額	1,158	466	372	175	101
3,420	33.9%	13.6%	10.9%	5.1%	3.0%

B　国	石油製品	機械類	ダイヤモンド	鉄鋼	繊維品
輸出総額	548	446	247	236	222
3,948	13.9%	11.3%	6.3%	6.0%	5.6%

C　国	機械類	衣類	繊維品	金属製品	自動車
輸出総額	14,470	1,760	1,456	1,440	1,411
33,623	43.0%	5.2%	4.3%	4.3%	4.2%

D　国	機械類	自動車	医薬品	精密機器	自動車部品
輸出総額	4,568	2,377	1,403	1,206	692
16,356	27.9%	14.5%	8.6%	7.4%	4.2%

E　国	機械類	自動車	医薬品	航空機	化粧品類
輸出総額	1,091	488	401	310	187
5,851	18.6%	8.3%	6.9%	5.3%	3.2%

（『2023／2024世界国勢図会』より作成）

	A国	B国	C国	D国	E国
1	インド	オーストラリア	ドイツ	フランス	中国
2	インド	フランス	オーストラリア	中国	ドイツ
3	オーストラリア	ドイツ	中国	フランス	インド
4	オーストラリア	インド	中国	ドイツ	フランス
5	オーストラリア	中国	インド	ドイツ	フランス

問69　正解4

　輸出品目から、その国の主要産業を見てとれる。A国は鉱産物資源の割合が高いところから、オーストラリアである。C国は五カ国のなかで一番輸出総額が大きいことから、近年「世界の工場」となっている中国である。さらに、衣類と繊維品の割合が高いことからも見てとれる。E国は自動車と航空機の割合が高いところから、フランスである。B国は石油製品とダイヤモンドの割合が高い所から、インドである。残りのD国はドイツとなる。ドイツは中国、アメリカに続く世界第3位の輸出国ということから、輸出総額が大きいことと、機械類と自動車に次いで医薬品の割合が高いのが特徴である。

　参考までに、日本を含めた他の国の資料を提示しておく。

〔参考〕　　　　　　　　　　　　　　　　　（単位は億ドル。資料は2021年のもの）

日　本	機械類	自動車	精密機械	鉄　鋼	自動車部品
輸出総額	2,717	1,357	394	348	330
7,571	35.9%	17.9%	5.2%	4.6%	4.4%

アメリカ	機械類	自動車	石油製品	医薬品	精密機器
輸出総額	4,005	1,181	919	818	732
17,531	22.8%	6.7%	5.2%	4.7%	4.2%

タ　イ	機械類	自動車	プラスチック	野菜・果実	石油製品
輸出総額	846	313	127	99	88
2,667	31.7%	11.7%	4.8%	3.7%	3.3%

ブラジル	鉄鉱石	大　豆	原　油	肉　類	機械類
輸出総額	447	386	306	195	147
2,808	15.9%	13.7%	10.9%	6.9%	5.2%

（『2023／2024世界国勢図会』より作成）

地理

次の記述を読んで、解答群から正解を 1 つ選べ。

問 70 check! ☐☐☐　下の表は、わが国の農作物（工芸作物、畜産物を含む。）を生産量や頭数の多い道府県順に並べたものである。正しい県の組合せを 1 ～ 5 のなかから選べ。

（データは 2022 年または 2023 年のもの）

	米	トマト	レタス	りんご	茶	豚
1 位	新　潟	熊　本	C	青　森	静　岡	D
2 位	北海道	北海道	B	C	D	宮　崎
3 位	A	愛　知	群　馬	岩　手	三　重	北海道
4 位	山　形	B	長　崎	山　形	－	群　馬
5 位	宮　城	栃　木	－	福　島	－	－

（『2024 ／ 2025 日本国勢図会』より作成）

	A	B	C	D
1	秋田県	高知県	佐賀県	鹿児島県
2	秋田県	福岡県	茨城県	佐賀県
3	秋田県	茨城県	長野県	鹿児島県
4	富山県	山梨県	福岡県	佐賀県
5	富山県	佐賀県	鹿児島県	茨城県

問70　正解3

　道府県別の農産物・畜産物の生産高・飼育数を問う出題も、出題確率が高い。Aは秋田県と富山県のどちらかの選択になる。全国第3位の米生産高は、秋田県である。富山県は、全国第13位の生産高。なお、米は東北・北陸・北海道で、全国の約半分を占める。Cは高原野菜のレタス、涼しい気候に適するりんごの産地であるから、長野県である。りんごは青森県（59.6％）と長野県（18.0％）が、全国生産の大半を占めている。Dは豚の飼育数が一番多い県であることから、鹿児島県である。かんしょ（さつまいも）も第1位で、肉用若鶏（ブロイラー）の飼育や茶の生産も盛んである。Bは難しいが、ACDが割り出されていれば、残りは茨城県となる。首都圏に近いので、トマト・レタスなどの近郊農業が発達している。

　参考までに、他の重要な農産物・家畜の道府県別生産高・飼育数の順位を提示しておく。

〔参考〕　　　　　　　　　　　　　　　　（データは2022年または2023年のもの）

	かんしょ	みかん	かき	ぶどう	だいこん	キャベツ	にんじん
1位	鹿児島	和歌山	和歌山	山　梨	千　葉	群　馬	北海道
2位	茨　城	愛　媛	奈　良	長　野	北海道	愛　知	千　葉
3位	千　葉	静　岡	福　岡	岡　山	青　森	千　葉	徳　島
4位	宮　崎	熊　本	岐　阜	山　形	鹿児島	茨　城	青　森
5位	－	長　崎	愛　知	福　岡	神奈川	鹿児島	長　崎

	肉用牛	乳用牛	採卵鶏	肉用若鶏
1位	北海道	北海道	茨　城	鹿児島
2位	鹿児島	栃　木	千　葉	宮　崎
3位	宮　崎	熊　本	鹿児島	岩　手
4位	熊　本	岩　手	愛　知	青　森

（『2024／2025日本国勢図会』より作成）

ワンポイント・レッスン

欧米の哲学者、思想家、経済学者の一口メモ（年号は誕生年）

＊下線部は、有名な言葉の部分

ターレス（前624?）…………	万物の根源は水。自然哲学（イオニア学派）
プロタゴラス（前480?）………	人間は万物の尺度。代表的ソフィスト。
ソクラテス（前469?）………	汝自身を知れ。悪法もまた法なり。
プラトン（前429?）…………	イデア論。『国家論』
アリストテレス（前384）………	万学の祖。『政治学』『形而上学』
ゼノン（前335）……………	ストア派の祖。cf. エピクロス（前341）
アウグスティヌス（354）………	教父（教会公認の神学者）哲学。『神の国』
トマス＝アクィナス（1225?）	スコラ哲学の大成者。『神学大全』
フランシス＝ベーコン（1561）	実験と観察（帰納法）。イギリス経験論。
グロティウス（1583）…………	国際法の父。『戦争と平和の法』
ホッブズ（1588）……………	万人の万人に対する戦い。『リヴァイアサン』
デカルト（1596）……………	我思うゆえに我あり。大陸合理論。『方法叙説』
パスカル（1623）……………	人間は考える葦である。『パンセ』
ロック（1632）………………	革命権・抵抗権を主張。『統治論二篇』
モンテスキュー（1689）………	三権分立。『法の精神』
ヴォルテール（1694）…………	イギリス立憲政治を礼讃。『哲学書簡』
ケネー（1694）……………	重農主義（為すに任せよと主張）。『経済表』
ルソー（1712）……………	自然に帰れ。『人間不平等起源論』『社会契約論』
アダム＝スミス（1723）………	自由貿易を主張。古典派経済学。『諸国民の富』
カント（1724）………………	批判哲学。『純粋理性批判』。ドイツ観念論。
ベンサム（1748）……………	最大多数の最大幸福。功利主義。
ヘーゲル（1770）……………	弁証法。ドイツ観念論を大成。『精神現象学』
フリードリヒ＝リスト（1789）	保護貿易を主張。歴史学派経済学。
マルクス（1818）……………	史的唯物論（唯物史観）。剰余価値説。『資本論』
ニーチェ（1844）……………	神は死んだ。実存主義の先駆者の一人。
ウェーバー（1864）…………	『プロテスタンティズムの倫理と資本主義の精神』
ケインズ（1883）……………	近代経済学。『雇用・利子および貨幣の一般理論』
サルトル（1905）……………	「存在と無」（論文）・『嘔吐』。実存主義。

Lesson 3

物理、化学 生物、地学

物理は、電気、物性、光、音などから幅広く出題される。物理・化学ともに基本的な公式や基本法則、用語を把握しておく。物理は中学校の学習範囲もおさらいする。生物では動植物の生命や組織のしくみを把握しておく。また、生物の分類も重要である。地学では地球の構造、気象、宇宙の成立ちを押さえておく。

次の記述で、正しいものには〇、誤っているものには×を付けよ。

問1
check!
☐☐☐
比熱が 1.1cal/g℃の物質 105g を温度 10℃上げるためには 1155cal 必要である。

問2
check!
☐☐☐
深さが 47m の水中での、体にかかる圧力は 47 気圧である。

問3
check!
☐☐☐
底面積 55cm²、質量 330g の物体が机の上に置かれているときにかかる圧力の大きさは 0.17kg 重 /cm² である。

問4
check!
☐☐☐
17℃の水 175g に 2100cal の熱量を加えた。水の温度は 20℃となる。

問5
check!
☐☐☐
60g の食用油の温度を 18℃上昇させるのに必要な熱量は、1080cal である。

問6
check!
☐☐☐
16℃の水に 2000cal の熱量を加えたところ、水温が 32℃になった。水の質量は 62.5 gである。

問7
check!
☐☐☐
42g 重の力が 10cm² に働いている場合の圧力の大きさは 4.2g 重 /cm² である。

問8
check!
☐☐☐
光が種類の異なる物質に入るとき、直進せずに境界面で曲がる。このことを、反射という。

問9
check!
☐☐☐
質量 11g の物体を、水平で滑らかな床の上で、6kg 重の力で横に 3.2m 動かすのに必要な仕事は 211.1kg 重mである。

解答・解説

問1 ○　比熱とは、物質1gの温度を1K上げるのに必要な熱量である。次の式によって必要な熱量が求められる。
$1.1 \times 105 \times 10 = 1155$cal である。

問2 ×　水圧は、水中では水面からの深さに比例する。すなわち水深10mにつき1cm²当たり約1気圧（= 1026g重）の水圧が増す。よって、$1 \times 4.7 = 4.7$ 気圧となる。

問3 ×　圧力の単位は kg重/cm² より求めることになっている。この問では次の式によって求める。$0.330 \div 55 = 0.006$kg重/cm²

問4 ×　熱量（cal）＝比熱×物質の質量（g）×温度上昇（℃）の式より、温度上昇を x として式に代入する。
$2100 = 1 \times 175 \times x$　$x = 12$　したがって 17℃＋12℃＝29℃となる。

問5 ×　熱量（cal）＝比熱×物質の質量（g）×温度上昇（℃）の式を使うが、この問では食用油の比熱が与えられていない。設問文にある1080calというのは比熱を1としたときの数値であり、食用油の比熱は水より低いから答えは×である。食用油の比熱を知っていれば、次の式によって正しく求められる。$0.5 \times 60 \times 18 = 540$cal である。

問6 ×　熱量（cal）＝比熱×物質の質量（g）×温度上昇（℃）の式より、物質の質量を x として、条件を代入する。
2000cal$= 1 \times x \times (32 - 16)$　$x = 125$g となる。

問7 ○　この場合の圧力の単位g重/cm²より、$42 \div 10 = 4.2$g重/cm²である。

問8 ×　この現象は屈折という。これに対して、反射というのは境界面で進行方向を変えて元の物質のなかに戻ることをいい、とくに境界面で光がすべて反射することを全反射という。

問9 ×　力の大きさ F と力の向きに動かした距離 s を掛け合わせたものを仕事 W という。このときは質量は考えなくてもよいので、$W = Fs$ の式を用いて、$6 \times 3.2 = 19.2$kg重m である。

次の記述で、正しいものには〇、誤っているものには×を付けよ。

問 10
check!
□□□

摩擦のない斜面に沿って、質量 80kg の物体をゆっくりと 1m の高さまで引き上げるときの仕事は 80kg 重 m より小さくなる。

問 11
check!
□□□

20 W の電熱線を 4 時間利用したときの電力量は、80kW 時である。

問 12
check!
□□□

50 W のヒーターで 1 分間加熱したときに発生する熱量は 50J である。

問 13
check!
□□□

鉄塔に取り付けたサイレンが 680Hz の振動数で鳴り出した。この鉄塔の前から 10 m /s の速さで人が遠ざかるとき、この人の聞く音の振動数は 660Hz である。ただし、音速を 340m/s とする。

問 14
check!
□□□

温度 20℃の水 500g を、100℃まで加熱するのに必要な熱量は 1.7×10^4J である。

問10　×　摩擦力もないので位置エネルギーの増加分と等しくなるので、$W = Fs$ によって 80kg 重 m となる。

問11　×　電力量＝電力（電流×電圧）×時間より、
$$= 20 \times 4 = 80\text{W 時}$$
1kW ＝ 1000W より、80W 時＝ 0.08kW 時となる。

問12　×　1W の電力で 1 秒間電流を流したときに発生する熱量が 1J であるので、1（J）× 50（W）× 60（秒）= 3000J である。

問13　○　音源や観測者が動いていると、耳に達する音の振動数は、音源から出る音の振動数からずれていく。これをドップラー効果という。音速を V、音源の速度を v、観測者の速度を u、音源の振動数を f_0、音源から観測者への向きを正とし、観測者の聞く音の振動数を f とすると、

①音源が運動している場合　　$f = \dfrac{V}{V - v} f_0$

②観測者が運動している場合　$f = \dfrac{V - u}{V} f_0$

③どちらも運動している場合　$f = \dfrac{V - u}{V - v} f_0$

という公式を使い分ける。この問の場合は②の公式を用いる。

$$\therefore f = \frac{340 - 10}{340} \times 680 = 660 \text{ [Hz] となる。}$$

問14　×　熱量の単位カロリー（cal）またはジュール（J）で表わす。質量を m（g）、比熱を c（cal/g・℃）、物体の温度を t（℃）高めるのに必要な熱量を Q（cal）とし、
1cal ＝ 4.2J であることを用いる。
$$\therefore Q = mct = 500 \times 1.0 \times (100 - 20) = 4.0 \times 10^4 \text{（cal）}$$
$$= 4.0 \times 10^4 \times 4.2 = 1.68 \times 10^5 \fallingdotseq 1.7 \times 10^5 \text{（J）} \quad \text{が正解}$$
となる。

次の記述で、正しいものには○、誤っているものには×を付けよ。

問 15
check!
□□□

質量 2.0kg の台車 A と質量 4.0kg の台車 B を図のように置き、間にばねをはさみ、台車を両側から押してばねを縮めておく。両台車の固定を同時に取り出したところ、台車 A は左向きに 3.0m/s の速さで動いた。このとき台車 B の速さは 0.5m/s である。

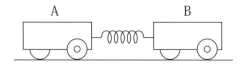

問 16
check!
□□□

金属製のコップに入れたお湯よりも、陶器製のコップに入れたお湯のほうが冷めにくい。

問 17
check!
□□□

よく晴れた日の地表付近の気温は、昼間は上空に比べて高くなるが、夜は上空に比べて低くなる。このことから次の図で、音源から矢印の向きに出た音は昼のほうが家に届きやすいと考えられる。

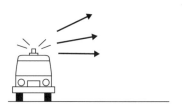

問 18
check!
□□□

気温が 0℃のとき、CO_2 ガス中での音速は 258m/s である。このときの音の空気に対する CO_2 ガスの屈折率は約 1.28 と計算される。ただし音速 v_1 の媒質 I から v_2 の媒質 II に入射したときの屈折率は $n = \dfrac{v_1}{v_2}$ で表わされる。

問15 ✕　他の物体から働く力が無視できるとき、衝突の前後で各物体が持つ運動量は変化するが、運動量の和は変わらない。

左向きを正として物体A、Bの質量をm_A、m_B、速度をv_A、v_B、変化後の速さを$v_A{}'$、$v_B{}'$、として運動量保存の法則（$m_A v_A + m_B v_B = m_A v_A{}' + m_B v_B{}'$）を適用する。

最初台車は静止しているので$0 = 2.0 \times 3.0 + 4.0v$　∴ $v = -1.5$m/s したがって、台車Bは右向きに1.5m/sで動く。

問16 〇　一般に金属は陶器などに比べて熱伝導率が大きい。外気との温度差が同じとき、熱伝導率の大きい金属製のコップのほうが、湯の持つ熱が速く外気に伝わるために冷めやすい。逆に陶器製のほうは熱が伝わりにくいため冷めにくい。

問17 ✕　昼間は上空に行くほど気温が低くなり、音速は小さくなるので下図Aのように屈折する。夜間は地表付近のほうが気温が低く、音速は上へ行くほど大きくなるから下図Bのように屈折する。よって夜間のほうが遠くの音が聞こえやすい。

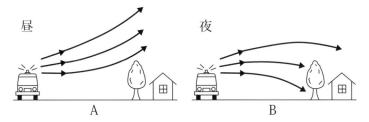

昼　　　　　　　　　　　夜

A　　　　　　　　　　　B

問18 〇　光と同じように音も屈折する。まず、空気中の音速Vは$V = 331.5 + 0.6t$（t：温度℃）m/sと表わされるので音波の空気に対するCO_2ガス屈折率をnとすると、

$$n = \frac{\text{空気中の音速}}{CO_2 \text{ガス中の音速}} = \frac{331.5}{258} \fallingdotseq 1.284 = 1.28 \text{ となる。}$$

次の記述で、正しいものには〇、誤っているものには×を付けよ。

問 19
check!
□□□

鉛直面内に置かれた平面鏡の前に立って自分の全身像を一度に見るために最小限必要な鏡の上下の長さは自分の身長の半分である。

問 20
check!
□□□

凸レンズの前方 20cm の点に物体を置いたとき、物体から 50cm 離れたレンズの後方の壁に像ができるとき、再び像ができるのはレンズを壁のほうへ 15cm ずらしたときである。

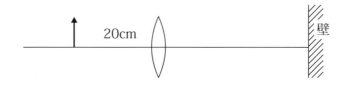

問 21
check!
□□□

物体の色はその物体が反射する光の色によって変わる。青色の自動車がトンネルに入って黄色の光を浴びたとき、車の色は黄緑色に見える。

問 22
check!
□□□

100V 用 40W の電球を 100V の電源につないで使用したとき、電球の抵抗は 250 Ω となる。

問19　○　下図のように人の像 A' B' ができる。足 B から出た光線は PQ と AB' の交点 M で反射され、目 A に届く。したがって、全身を見るために必要な鏡の大きさは PM、すなわち人の身長の半分である。

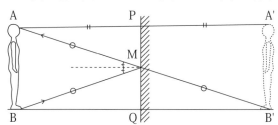

問20　×　レンズの公式 $\dfrac{1}{a} + \dfrac{1}{b} = \dfrac{1}{f}$ を使う。(f は焦点距離、レンズの中心から物体および実像までの距離をそれぞれ a、b とする)

$$\therefore b = 50 - 20 = 30$$

$\dfrac{1}{20} + \dfrac{1}{30} = \dfrac{1}{f}$ より、

f = 12（cm）　レンズを d（cm）壁側にずらすと像を結ぶ。

$\dfrac{1}{20 + d} + \dfrac{1}{30 - d} = \dfrac{1}{12}$　これより　$d = 10$（cm）

問21　×　光は物体にあたると、一部が吸収され残りが反射される。物体の色は、その物体によってどの色の光が吸収されるかで決まる。問題にあるような青い物体にあたるとすべて吸収されてしまうため、その物体は黒く見えることになる。

問22　○　電気抵抗にかかる電圧と電流の積を電力といい、1 秒間に消費する電気エネルギーを指す。単位は W（ワット）、または kW（キロワット）で表わす。

P：電力（W）　I：電流（A）電圧（V）　R：電気抵抗（Ω）とすると

$P = VI = RI^2 = \dfrac{V^2}{R}$　という公式が成り立つ。

これを用いて $40 = \dfrac{100^2}{R}$　$\therefore R = \dfrac{100^2}{40} = 250$（Ω）となる。

次の記述で、正しいものには○、誤っているものには×を付けよ。

問 23
check!
□□□

消費電力が 500W の電気器具を、10 時間使用したときの電力量は 5.0kWh となる。

問 24
check!
□□□

断面積 $5.0 \times 10^{-7} \text{m}^2$、長さ 2.0m、抵抗率 $1.0 \times 10^{-6} \, \Omega \cdot \text{m}$ の金属に 2.0V の電源を接続した。この金属を流れる電流は 0.50A である。

問 25
check!
□□□

1kW の電熱器を用いて 20℃の水 300kg を 40℃まで温めるには 7 時間かかる。ただし、水以外の部分への熱の損失は考えないものとする。また、水の比熱は 1.0kcal/(kg・K) で、1kcal = 4.2kJ とする。

問23　◯　電力と時間の積を電力量といい、電気抵抗がある時間に消費するエネルギーを表わす。単位は J（ジュール）または kWh（キロワット時）を用いる。

$W = Pt = VIt$　という公式を得る。

これを用いて 500W ＝ 0.500kW　だから、

$W = Pt = 0.500 \times 10 = 5.0$（kWh）

問24　◯　電気抵抗は導体の長さに比例し、断面積に反比例する。このときの比例定数を抵抗率という。電気抵抗：R（Ω）　抵抗率：ρ（Ω・m）　長さ：l（m）　断面積：S（m²）とすると

$R = \rho \dfrac{l}{S}$　と表わされる。

$\therefore R = 1.0 \times 10-6 \times \dfrac{2.0}{5.0 \times 10^{-7}} = 4.0$（Ω）

ここでオームの法則 $V = IR$ より、$I = 0.50$（A）となる。

問25　◯　物体の温度を 1℃変化させる熱量のことを熱容量という。単位は cal/℃を用いる。いま、質量 m（g）、比熱 c（cal/g・℃）の物体の熱容量を C（cal/℃）、この物体の温度を t（℃）高めるのに必要な熱量を Q（cal）とすると $Q = mct$　が成り立つ。これを用いて

$Q = 300 \times 10^3 \times 1.0 \times (40 - 20) = 6.0 \times 10^3$（kcal）

1kW の電熱器が 1 時間当たりに発生する熱量は、

3.6×10^3（kJ）$= \dfrac{3.6}{4.2} \times 10^3$（kcal）

熱の損失がないとき、発熱に要する時間は、

$\dfrac{6.0 \times 10^3}{3.6/4.2 \times 10^3} = 7.0$（時間）となる。

次の記述で、正しいものには〇、誤っているものには✕を付けよ。

問 26
check!
□□□
20 Ωのニクロム線を 100V の電源につないだとき、10 分間では 3.6×10^4 (cal) の熱を発生させる。

問 27
check!
□□□
太陽光線に垂直な $1.0m^2$ の面が、大気外で 1.0 時間に受け取る太陽エネルギーは 6.0×10^6 cal である。ただし、このエネルギーは大気の吸収や反射はないものとする。

問 28
check!
□□□
ウラン 235 を燃料として 30 万 kW の発電能力を持つ原子炉を建設するとき、1 秒当たり 2.0×10^2 g のウラン 235 を要する。ただし、ウラン 1.0g から発生するエネルギーを 7.5×10^{10} J とし、その 20%が熱に変わるものとする。

問 29
check!
□□□
成人は 1 日におよそ 2800kcal のエネルギーを食物から摂取している。そのうち、1300kcal は生命を維持するために使われる。残りのエネルギーで 8 時間労働することにすると、仕事率はほぼ 200 Wになる。

問26 ×　電気抵抗で消費される電気エネルギーによって、毎秒発生する熱量は消費電力に比例する。このとき、消費電力 1W につき、毎秒 0.24cal の熱量が発生する。

消費電力を P とすると　$P = \dfrac{V^2}{R} = \dfrac{100^2}{20} = 500\text{W}$ となる。

また、発生する熱量を Q とすると　$Q = 0.24P$ が成り立つから 10 分間（10 × 60 秒）では

$Q = 0.24 \times 500 \times 10 \times 60 = 7.2 \times 104\text{cal}$ となる。

問27 ×　太陽からやってくるエネルギーは、大気に吸収・反射がないとした場合は太陽光に垂直な面 1cm² 当たり毎分約 2cal である。

よって　$2 \times 10000 \times 60 = 1.2 \times 10^6\text{cal}$ である。

問28 ×　毎秒必要なウランを x と置くと、$W = Pt$（W：電力量、P：電力、t：時間）より、

$W = x \times 7.5 \times 10^{10} \times 0.2 = 30 \times 10^4 \times 10^3$

これを解いて $x = 2.0 \times 10^{-2}$（g）となる。

問29 ○　労働に使われるエネルギー＝（摂取したエネルギー）－（生命維持のためのエネルギー）

$= 2800 - 1300 = 1500$（kcal）

$= 1500 \times 1000 \times 4$（J）

8時間でこのエネルギーに等しい仕事を行うとすると、

$P = \dfrac{W}{t}$（P：仕事量、W：仕事、t：時間）を用いて

仕事率は $\dfrac{1500 \times 1000 \times 4}{8 \times 60 \times 60} \fallingdotseq 200$（W）となる。

次の記述を読んで、解答群から正解を 1 つ選べ。

問30
check!
□□□

電気抵抗 8 Ωの電熱線に、2V の直流電圧をかけて電流を流したとき、10 秒間に発生する熱量を次のうちから選べ。

1　1.2J
2　5J
3　2.5J
4　16J
5　20J

問31
check!
□□□

電磁誘導の効果を調べるために、2 つのコイルを図のように接近させ、第 1 のコイルを交流電流に接続した。第 2 のコイルに発生する電圧を大きくするために次の 1 ～ 5 のうちで有効でないものを 1 つ選べ。

第1　　　　　第2

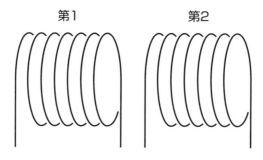

1　第 1 コイルの電流を大きくする。
2　2 つのコイルの間の距離を小さくする。
3　2 つのコイルを貫くようになかに鉄の釘を入れる。
4　第 1 のコイルの巻き数を増やす。
5　第 2 のコイルの巻き数を減らす。

問30　正解 2

　　電流による発熱をジュール熱という。抵抗 R（Ω）の導体に電圧（V）を加え、電流 I（A）を t（秒）間流したとき発生する熱 H（J）は $H = VIt$ で求められる。オームの法則 $V = IR$ より式を変形すると、

$H = I2Rt = t \cdot \dfrac{V^2}{R}$ であるから、数値を代入して、

$H = 10 \times \dfrac{2^2}{8} = 5$（J）となる。

よって正解は 2。

問31　正解 5

　　電流を流したコイルの周りには磁界ができる。この磁界の強さは電流の大きさと巻き数に比例し（選択肢 1、4）、なかに鉄心を入れると磁界の強さが大きくなる（選択肢 3）。また 2 つのコイルの間を接近させると第 2 のコイルの磁界の変化が大きくなるので選択肢 2 も有効である。

次の記述で、正しいものには〇、誤っているものには×を付けよ。

問1 check! ☐☐☐
アルカリ土類金属というのは、周期表2族に属するBe、Mg、Ca、Sr、Ba、Raをいう。

問2 check! ☐☐☐
電子は、原子核のまわりのそれぞれ決まった空間をいくつかの軌道に分かれて運動している。これらの軌道を分子軌道という。

問3 check! ☐☐☐
電子殻に入る電子の最大収容数は決まっていて、K殻、L殻、M殻には最大で8個収容できる。

問4 check! ☐☐☐
典型元素では、元素の諸性質は、周期的に変化しない。

問5 check! ☐☐☐
遷移元素では、元素の諸性質は、似ている。

問6 check! ☐☐☐
周期表では、左下にある元素ほど原子の大きさは小さい。

問7 check! ☐☐☐
イオン化エネルギーとは、原子が電子を1個奪われて1価の陽イオンとなるときに必要なエネルギー（kJ/mol）のことである。

問1　✕　アルカリ土類とは、周期表上で2族に属する金属元素のうち、Be、Mgを除いた4元素のことをいう。

問2　✕　電子の軌道を電子殻といい、内側からK殻、L殻、M殻、……とアルファベット順に名前が付けられている。

問3　✕　各電子殻に入れる電子の最大収容数は決まっている。もっとも内側のK殻を1番として番号を付けていくと、n番目の電子殻の最大収容数は $2 \times n^2$ という式で求められる。最外殻に入っている電子の数を、その原子の価電子という。価電子は原子の化学的性質を決めるカギとなっている。ただし、最外殻の電子数が収容最大値になっている場合と8個のときは、最外殻電子数を0と表わす。

問4　✕　周期表中で、縦に配列している一群の元素を族といい、同一族に属する元素のグループは同族元素と呼ばれる。典型元素は、1、2、12～18族元素のことである。同族元素は一般に価電子の数が同じで、元素の諸性質は互いに似ている。

問5　○　周期表のうち典型元素を除く3～11族の元素を遷移元素という。遷移元素の価電子の数は1か2で、元素の周期性はあまりはっきりしないが、周期表の上下左右で接近した元素同士では似ている場合もある。

問6　✕　希ガスを除く典型元素の同一周期方向では、原子番号が大きいほど原子の大きさが小さい。また、典型元素の同族方向では、原子番号が大きいほど大きい。

問7　○　一般に、1族に属する陽性の強い元素の原子はイオン化エネルギーが小さく、陽イオンになりやすいのに対して、第17族に属する陰性の強い元素の原子はイオン化エネルギーが大きく陽イオンにはなりにくく、陰イオンにはなりやすい。全元素中でヘリウムが最大の値を持つ。

次の記述で、正しいものには〇、誤っているものには×を付けよ。

問8
check!
☐☐☐

原子と原子がそれぞれの価電子を互いに共有し合って生じる結合のことを配位結合という。

問9
check!
☐☐☐

一方の原子が価電子を放出して陽イオンとなり、他方の原子が最外殻に電子を取り入れて陰イオンとなったもの同士が静電気力で引き合ってできる結合をイオン結合という。

問10
check!
☐☐☐

多くの原子がそれぞれの価電子をお互いに共有し合って生じる結合を配位結合という。

問11
check!
☐☐☐

メタンの分子の形と極性は、正四面体であり、無極性分子である。

問12
check!
☐☐☐

金属結晶は独特の光沢を持っている。この光沢のことを金属光沢という。

問13
check!
☐☐☐

イオン結合によってできたイオン結晶は電気を通すことができる。

問8 ×　原子と原子が価電子を共有し合っている結合を共有結合という。共有されている電子対を共有電子対という。配位結合は共有電子対を一方の原子のみが供給するもので、結合ができるまでのしくみが異なるだけで、できた結合は共有結合とまったく同じである。

問9 ○　イオン結合の陽イオンと陰イオンの結合は静電気力（クーロン）で引き合って生じる結合である。代表的なものが食塩の主成分である NaCl の結合である。Na と Cl は集団で結合していて、NaCl で表わされる粒子はない。

問10 ×　原子は価電子を放出して陽イオンとなる。このような多数の陽イオンと放出された多数の電子（自由電子）とが互いに静電気力で引き合って生じる結合のことを金属結合という。

問11 ○　分子の形と極性は次の通りである。極性とは、原子の陰性の強さの差によって生じる電荷の分布のかたよりのことをいい、かたよりがない分子を無極性分子といい、水素、メタン、二酸化炭素などがある。

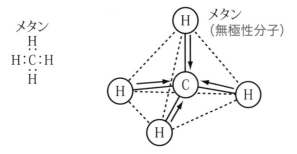

メタン
H
H:C:H
H

メタン
（無極性分子）

問12 ○　金属結晶の特徴としては、電気伝導性、熱伝導性、展性、延性に優れていて、金属光沢を持っていることが挙げられる。これらの金属結晶の特徴は、自由電子の存在による。

問13 ×　イオン結晶中の陽イオンや陰イオンは自由に動き回ることができないので、イオン結晶は電気を通すことはできない。しかし、その融解液や水溶液は電気の良導体である。

次の記述で、正しいものには〇、誤っているものには×を付けよ。

問 14
check!
□□□
アンモニアの分子の形と極性は、正四面体であり、極性分子である。

問 15
check!
□□□
水の分子の形と極性は、折れ線形で極性分子である。

問 16
check!
□□□
金属結晶の特性には、たたくと薄く広がる性質がある。この性質を延性という。

問 17
check!
□□□
6B 族元素の水素化合物の中で、H_2O はもっとも沸点が高い。

問 18
check!
□□□
黒鉛は金属結合をしているため軟らかく、電気伝導性を持つ。

問14　×　アンモニアの分子は、極性分子であるが、形は正四面体ではなく、三角錐形である。

アンモニア

H:N:H
　H

アンモニア
（極性分子）

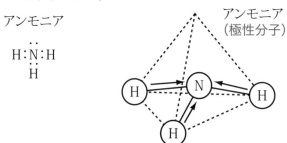

問15　○　分子内の一部の共有結合に極性があっても、二酸化炭素のように分子全体として正電荷の重心と負電荷の重心が一致しているときは、無極性分子になる。ところが水分子は折れ線で、$O-H$結合の極性が打ち消し合わないので、分子全体としては極性を持つ。

水

H:O:H

水
（極性分子）

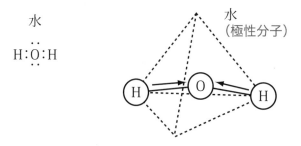

問16　×　延性とは、引っ張ると細長く伸びる性質のことをいう。たたくと薄く広がる性質のことは、展性という。

問17　○　H_2Oの分子間には結合力の強い水素結合が働いており、分子量は小さいが融点や沸点は高い。

問18　×　黒鉛では価電子3個でC原子が共有結合をして平面状巨大分子を形成する。共有結合は分子間の結合は弱く、残った1個の価電子が平面状分子にそって移動できるため軟らかく、電気を導く。

化学

次の記述で、正しいものには〇、誤っているものには×を付けよ。

問 19
check!
□□□

水とエタノールを混合すると、混合前のそれぞれの体積の和よりも、混合後の体積は小さくなる。

問 20
check!
□□□

金属の結晶格子における原子の配列には、体心立方格子、面心立方格子、六方最密充填構造などがある。

問 21
check!
□□□

質量数が 12 の炭素原子 1 個の質量は 1.99×10^{-23}g である。一方、アルミニウム Al は天然に同位体が存在せず、アルミニウム原子 1 個の質量は 4.48×10^{-23} g であるとき、アルミニウムの原子量は 27 である。

問 22
check!
□□□

天然の塩素原子には ^{35}Cl と ^{37}Cl とがあり、それぞれの存在比は 75.5％および 24.5％であるとき、塩素の原子量は 50.5 となる。

問 23
check!
□□□

二酸化炭素 11g は 0.25mol である。

問 24
check!
□□□

二酸化炭素分子 1 個の質量は 44×10^{-23}g である。

問 25
check!
□□□

27℃、0.3atm において、密度が 0.537g/l である気体は SO_2 である。

問 19　○　水は水素結合のため、すき間の多い構造をとっている。エタ
ノールは、その水酸基（－ OH）が水と水素結合することによって溶
けるが、エチル基（C_2H_5 －）の部分では水素結合しないため、水と
比べると水素結合の数が減っている。水素結合の減った分だけ、す
き間を埋めるような構造になり、体積が減少する。

問 20　○　金属の結晶では、体心立方格子、面心立方格子、六方最密充
填構造のような単位が繰り返し連なっていて、この単位のことを単
位格子という。単位格子中の原子の個数は、体心立方格子では 2 個、
面心立方格子では 4 個、六方最密充填構造では 2 個である。

問 21　○　原子の質量はきわめて小さいために比較するには不都合であ
る。そのため、質量数 12 の炭素原子の質量を 12 としたときの相
対質量が用いられる。アルミニウムの原子量を x とすると、
$12/1.99 \times 10^{-23} = x/4.48 \times 10^{-23}$　となり、$x = 27$ となる。

問 22　×　同位体が存在する場合は、各同位体の存在比と相対質量から
元素の平均の相対質量を計算し、それを元素の原子量として用いる。
次の算式によって求める。
塩素の原子量＝ $35 \times 75.5/100 + 37 \times 24.5/100 = 35.5$

問 23　○　イオン結合の物質はイオンで構成されているので、組成式で
表わされる原子の集団を 1 つの粒子と想定して、その粒子 6.0×10^{23} 個を 1mol として扱う。二酸化炭素（CO_2）の 1mol は $12 + 16 \times 2 = 44g$ であるから、11g は $11/44 = 0.25$mol となる。

問 24　×　二酸化炭素 44g 中には 6×10^{23} 個の分子があるから、二酸
化炭素分子 1 個の質量は、$44/(6.0 \times 10^{23}) = 7.3 \times 10^{-23}$g である。

問 25　×　密度（d）＝ w/v で表わされる。よって、気体の状態方程式
（$PV = \dfrac{w}{M} RT$）より $w = d\, v$ を代入して $M = d\, RT/p$ から気体のモ
ル質量を求める。
$M = (0.537 \times 0.082 \times 300)/0.30 = 44$
以上より分子量 44 の気体であるから、CO_2 である。

次の記述で、正しいものには〇、誤っているものには×を付けよ。

問 26
check!
□□□

ある気体 1.42g の体積を 37℃、780mmHg の下で測定すると 2.10l であった。この気体の分子量は 17 である。

問 27
check!
□□□

メタン（CH₄）、8.0 g と酸素（O₂）48 g の混合気体を、5.0l の容器に入れた。この容器内で、電気火花を飛ばしてメタンを完全燃焼させたのち、容器の温度を 17℃に保つと容器内の圧力は 5atm を超える。

問 28
check!
□□□

黒鉛およびダイヤモンドの燃焼熱は、394kJ/mol、396kJ/mol となるとき、次の熱化学方程式の反応熱 Q の値は 2kJ となる。
C（黒鉛）= C（ダイヤモンド）+ QkJ

問 29
check!
□□□

酢酸 0.01mol を含む水溶液 100mL がある。この水溶液のpH は 2.89 である。ただし、酢酸の電離度は 0.013、log1.3=0.11 とする。

問 30
check!
□□□

水溶液中で酢酸の電離度は、その濃度が小さくなるにつれて小さくなる。

問26　○　気体の状態方程式 $pv = w/M \times RT$ から、M（モル質量）を求める式に変形すると、次のようになる。

$M = \dfrac{wRT}{pv}$　各項に与えられた条件を代入して M を求めると、

$M = (1.42 \times 0.082 \times 310) / (780/760 \times 2.10) = 17$　となる。

問27　×　メタンの $8.0g$ は $8/16 = 0.5mol$、酸素の $48g$ は $48/32 = 1.5mol$ である。量的質量から酸素は $1mol$ 消費されるが、$1.5 - 1.0 = 0.5mol$ 残る。また二酸化炭素は $0.5mol$ 生成するので、燃焼後の混合気体の全質量は $0.50 + 0.50 = 1.0mol$ となる。
以上より、混合気体の全圧 $(p) = nRT/v = 1.0 \times 0.082 \times (273 + 17) /5.0 = 4.8atm$ となる。

問28　×　それぞれの反応を熱化学方程式で表わす。
C（黒鉛）$+ O_2 = CO_2 + 394kJ$　……①
C（ダイヤモンド）$+ O_2 = CO_2 + 396kJ$　……②
①－②より
② C（黒鉛）$=$ C（ダイヤモンド）$- 2kJ$　　以上より$- 2kJ$ である。

問29　○　$pH = - \log [H^+]$ である。
酢酸水溶液のモル濃度 $= 0.01/0.1 = 0.1mol/L$ である。
酢酸は1価の酸（CH_3COOH）であるから、水素イオン濃度は、$[H^+] = 0.1 \times 0.013 = 1.3 \times 10^{-3}mol/L$ である。
$pH = - \log [H^+]$ に代入して、
$pH = - \log [1.3 \times 10^{-3}] = 2.89$　となる。

問30　×　酢酸の初濃度を $Cmol/l$、電離度を α とすれば（$0 < \alpha < 1$）、
$$CH_3COOH \Leftrightarrow CH_3COO^- + H^+$$
平衡時の濃度　$C(1-\alpha)$　　$C\alpha$　　　$C\alpha$
酢酸の電離定数（Ka）の式に、これらの濃度を代入すると
$Ka = \dfrac{[CH_3COO^-][H^+]}{[CH_3COOH]} = \dfrac{C\alpha^2}{1-\alpha} = （一定）$
Ka は C によらず一定だから、C を小さくすれば α は大きくなる。

次の記述で、正しいものには〇、誤っているものには×を付けよ。

問 31
check!
□□□
純水の電離度は、室温で 1×10^{-7} である。

問 32
check!
□□□
酢酸水溶液に水酸化ナトリウム水溶液を加えると、溶液中の酢酸イオンの濃度が増加する。

問 33
check!
□□□
濃度未知の水酸化ナトリウム水溶液 15mL を中和するのに、0.3mol/L の塩酸 10mL が必要であった。水酸化ナトリウムのモル濃度は 0.3（mol/L）である。

問 34
check!
□□□
0.2mol/L の水酸化ナトリウムと 0.1mol/L の硫酸水溶液 10mL を中和するのに水溶液は 15mL 必要である。

問 35
check!
□□□
分子式が C_3H_8O で表わされる有機化合物の構造異性体は 4 個存在する。

問31　×　室温の純水なので、$[H^+] = 1 \times 10^{-7} mol/L$、

$$[H_2O] = \frac{1000}{18} \fallingdotseq 55 mol/L \ である。$$

すなわち、約 $55 mol/L$ の水分子のうち電離するのは $1 \times 10^{-7} mol/L$ だから、

電離度は $\dfrac{1 \times 10^{-7}}{55} \fallingdotseq 2 \times 10^{-9}$ である。

問32　○　$CH_3COOH + OH^- \rightarrow CH_3COO^- + H_2O$ の中和反応で増加する。

問33　×　中和点では水素イオンの物質量と水酸化物イオンの物質量が等しいから、
酸の価数×酸の物質量＝塩基の価数×塩基の物質量
で表わすことができる。
NaOH 水溶液のモル濃度を C（mol/L）とすると、NaOH は1価、
HCl は1価であるから、$1 \times (C \times 15/1000) = 1 \times (0.3 \times 10/1000)$
C = 0.2mol/L となる。

問34　×　H_2SO_4 は2価だから、求める体積を v とすると、
$1 \times (0.2 \times v/1000) = 2 \times (0.10 \times 10/1000)$
$v = 10mL$ となる。

問35　×　次の3個である。
$CH_3 - CH_2 - CH_2 - OH$　　　　$CH_3 - CH - CH_3$
　　　　　　　　　　　　　　　　　　　　　　　|
　　　　　　　　　　　　　　　　　　　　　　OH
$CH_3 - CH_2 - O - CH_3$

次の記述を読んで、解答群から正解を 1 つ選べ。

問 36
check!
□□□

次の文章のうち、Hg について述べた正しい文章はどれか。

1　石油中に保存し、冷水と激しく反応し、水素を発生して溶け、その水溶液の炎色反応は黄色である。

2　熱水と反応して水素を発生する。強熱すると明るい光を出して燃焼し、酸化物になる。この酸化物は水にわずかに溶け、弱塩基性を示す。

3　塩酸にも水酸化ナトリウム水溶液にも水素を発生して溶けるが、濃硝酸には不動態になって溶けない。

4　湿った空気中では青緑色の錆を生じる。塩酸とは反応しないが、濃硝酸とは反応して溶ける。

5　室温で液体である。塩酸や希硫酸には溶けない。

問 37
check!
□□□

メタン CH_4 とエタン C_2H_6 の混合気体がある。27℃、1.20atm で、この混合気体 820cm³ の質量が 1.06g であるときメタンの分圧は次のうちいずれか。ただし、C：12、H：1 とする。

1　0.200 〔atm〕
2　0.300 〔atm〕
3　0.0300 〔atm〕
4　0.0400 〔atm〕
5　0.0500 〔atm〕

化
学

問36　正解5

　　1では石油中に保存するのはアルカリ金属である。また、炎色反応が黄色はNaである。

　　2はMgの説明である。

　　3は両性元素AℓかZnであり、不動態となるのはAℓである。

　　4はCuの説明である。

　　正解は5であるが、常温で液体の金属はHg（水銀）のみである。

問37　正解2

　　CH_4（分子量16）がn_1（mol）、C_2H_6（分子量30）がn_2（mol）あるとすると、$PV = nRT$より、

$$n_1 + n_2 = \frac{PV}{RT} = \frac{1.20 \times 0.820}{0.082 \times (273 + 27)} = 0.0400 \ (\text{mol}) \cdots\cdots①$$

$$16n_1 + 30n_2 = 1.06 \ (\text{g}) \cdots\cdots②$$

①、②より $n_1 = 0.0100$〔mol〕$n_2 = 0.0300$〔mol〕

$$CH_4 \text{の分圧} = \frac{n_1}{n_1 + n_2} \times P = \frac{0.0100}{0.0400} \times 1.20 = 0.300 \ 〔\text{atm}〕$$

となる。

次の記述で、正しいものには○、誤っているものには×を付けよ。

問1
check!
□□□

昆虫の老廃物は腸内へ排出されて、肛門から体外へ捨てられる。

問2
check!
□□□

脊椎はないが一生、あるいは一時期だけ脊索を持つ動物のことを扁形動物という。

問3
check!
□□□

扁形動物の老廃物はほのお細胞と呼ばれる樹枝状に伸びた細い管から原腎管を通り、排泄孔から体外へ排出される。肛門はないものが多い。

問4
check!
□□□

脊椎動物の仲間は、魚類、爬虫類、鳥類、哺乳類の4つである。

問5
check!
□□□

細胞内外の物質の輸送路は小胞体である。

問6
check!
□□□

体液とは、細胞内外を流れる液体のことである

問7
check!
□□□

運動器官として、ミドリムシは、1本の鞭毛、ゾウリムシは体表全体に繊毛を持っている。

問8
check!
□□□

ゾウリムシの増殖は分裂であり、この生殖法はいかなる環境下でも変化しない。

問9
check!
□□□

二遺伝子雑種で、AABB × aabb の F_2 において、表現型（AB）を示す遺伝子型は9種類である。

問1　○　節足動物の昆虫は排出器官として、中腸と後腸の境界部に開口する細長い糸状のマルピーギ管を持つ。また、窒素排泄物は尿酸である。

問2　×　これらは脊索動物と呼ばれる。例えばホヤやナメクジウオがある。扁形動物は、ひらべったい形をしたもっとも下等な動物であり、渦虫、吸虫、条虫などがある。

問3　○　扁形動物のプラナリアは消化管はあるが、肛門がない。

問4　×　両生類も脊椎動物なので5種類である。なお、魚類は無顎類、軟骨魚、硬骨魚に分けられる。

問5　×　小胞体は、細胞質内における物質の輸送路である。細胞内外の物質の輸送経路の役目を果たすのは細胞膜である。

問6　×　体液は細胞外の液だけ。細胞内の液は含まない。体液には「血しょう」「リンパ液」「組織液」がある。

問7　×　ゾウリムシが持っているのは、「繊毛（せんもう）」である。鞭毛（べんもう）は1本から数本で、繊毛は短くて多数のものである。設問文中の「絨毛（じゅうもう）」は、別名柔毛。柔突起ともいい、脊椎動物の小腸内壁にある突起のことである。

問8　×　ゾウリムシは生育環境が適している場合には無性生殖の分裂で増殖を繰り返すが、この場合、遺伝子が単一的になり環境変化に対応することができない。しかし環境が悪化するとゾウリムシは有性生殖の接合を行うことができ、遺伝子の多様性が生じ、新たな環境に適応できる確率が高くなる。

問9　×　二遺伝子雑種における F_2 の比率で、真っ先に思い出すのが、(AB):(Ab):(aB):(ab) ＝ 9：3：3：1 と9種類と書いてしまいがちだが、遺伝子型には重複しているものもある。答えは AABB、AABb、AaBB、AaBb の4種類である。

次の記述で、正しいものには〇、誤っているものには×を付けよ。

問 10
check!
□□□
トノサマバッタやトンボの雄の染色体数は雌より１本少ない。

問 11
check!
□□□
マルバアサガオの赤花の純系と白花の純系を交雑したら、F_1 はすべて桃色花になった。F_2 における、赤花：白花：桃色花の比率は１：２：１である。

問 12
check!
□□□
両親ともに血液型が AB 型の場合、生まれてくる子どもは、AB 型の男児である確率がもっとも高い。

問 13
check!
□□□
DNA の塩基配列によって合成されるタンパク質は決まっている。

問 14
check!
□□□
被子植物は、重複受精によって種子を作るので、種皮と受精卵は遺伝的には同じである。

問 15
check!
□□□
生物が外界から取り入れた物質を、生命活動に必要な物質に作り変えることを異化という。

問 16
check!
□□□
植物の芽生えの部分に光を当てるとその方向に屈曲するが、これは背光側の細胞分裂が盛んになったためである。

問 17
check!
□□□
植物の根の細胞に含まれる核には、植物体の根にかかわる遺伝情報のみが存在する。

問 18
check!
□□□
体外から取り入れた窒素化合物を体に必要な窒素化合物に作り変えることを窒素同化という。

問10　○　設問にある昆虫の性決定様式は雄ヘテロ型のＸＯ型であり、遺伝子型がＸＸで雌、ＸＯで雄が生まれる。この雄のＸＯ型は雌のＸＸ型より性染色体が１本少ない。

問11　×　F₁で生じた桃色花は中間雑種と呼ばれ、両親の形質を半分ずつ受ける。F₂の分離比を単に暗記して１：２：１とひっかからないように。答えは１：１：２である。

問12　×　AB型×AB型の場合、現われる血液型は、AB型（AB）：A型（AA）：B型（BB）＝２：１：１である。すなわち生まれてくる子どもは、AB型がもっとも高い確率であるが、男児とあるので誤りである。男：女は、理論上は１：１で生まれてくる。

問13　○　１つの遺伝子（ＤＮＡ）は、ただ１種の酵素の生成に関与し、この酵素が物質に働きかけて形質が発現する。これを一遺伝子一酵素説といい、酵素は合成されたタンパク質から作られる。

問14　×　種皮はめしべを作っている親の体の一部であるため、受精卵とは遺伝的に異なる。

問15　×　これは同化の説明である（代表例は光合成）。複雑な化合物を単純な物質に分解する反応を異化といい、代表例は呼吸である。

問16　○　植物の成長ホルモンは総称してオーキシンと呼ばれる。このホルモンは光の当たる部位で生成されたあと、背光側に移動し、重力によって下降する。この際、背光側の成長だけが促進されるため、芽生えは光の方向に屈曲する。

問17　×　植物体のどこの細胞であっても、核には植物体が持つ全遺伝情報が含まれている。これを分化全能性という。したがって根になるか茎になっていくかは植物ホルモンの濃度バランスによる。

問18　○　窒素同化とは無機化合物（アンモニウムイオンなど）から有機化合物（アミノ酸・タンパク質など）を作り出すことを指す。

次の記述で、正しいものには〇、誤っているものには×を付けよ。

問19
check!
☐☐☐

1つの細胞の核のなかの染色体の数の状態を核相という。

問20
check!
☐☐☐

細胞内において有酸素条件下であっても、好気呼吸よりも嫌気呼吸の割合のほうが大きい。

問21
check!
☐☐☐

肺炎双球菌の生きたR型菌と死んだS型菌を混合し、シャーレ上で一定時間培養したところ、R型菌に混じってS型菌のコロニー（菌の集団）が見られた。これはR型菌がS型菌に突然変異したと考えられる。

問22
check!
☐☐☐

遺伝病の1つである「かま状赤血球症」は遺伝子突然変異によって起こる。

問23
check!
☐☐☐

タンパク質には20種類ある。

問24
check!
☐☐☐

ATPとはアデノシン三リン酸（adenosine tri phos-phate）。生体内のエネルギーの貯蔵、供給、運搬に欠かせない物質である。

問25
check!
☐☐☐

染色体地図を作製したモーガンは「遺伝子の本体はDNAである」と提唱した。

問26
check!
☐☐☐

交感神経のシナプスにおいて、神経伝達物質はアセチルコリンである。

問19　○　例えばヒトの細胞の核には染色体が 46 本存在する。相同染色体が 23 対（2本セット）で存在している状態である。

問20　×　同量のグルコースから得られるＡＴＰ数は、好気呼吸は嫌気呼吸の 19 倍である。したがって有酸素下において好気呼吸の割合を高めたほうが、グルコースの浪費を防ぐことになり意義が高い。

問21　×　設問文にある現象は形質転換という。形質転換は外部からＤＮＡが侵入し、もとから存在するＤＮＡと混ざり合って新形質を得ることであり、生じる確率は 1/100 ～ 1/1000。一方の突然変異はもとから存在するＤＮＡに何らかの変化が生じることであり確率的にも 1/10 万～ 1/100 万である。

問22　○　ヘモグロビンを作る遺伝子の塩基の一部が変化し、ヘモグロビンの性質が変わるために起こる遺伝病である。これは赤血球がかま状に変形し、酸素運搬能力がきわめて低下する病気で遺伝子突然変異によって起こる。

問23　×　タンパク質は、20 種類のアミノ酸からなるポリペプチドを主体とする化合物の総称であり、種類が多い。

問24　○　ＡＴＰは生物がエネルギーを必要とするときに用いる重要物質であり、全生物共通であることから「エネルギー貨幣」と呼ぶべき物質である。ＡＤＰへの加水分解によりエネルギーを放出する。

問25　×　モーガンは染色体地図を作製し、「染色体上に遺伝子が乗っており、決まった配列をなしている」と提唱した人物である。一方、「遺伝子の本体はＤＮＡである」と提唱したのはアベリー（1944 年）である。

問26　○　交感神経のシナプスにおける伝達物質はアセチルコリンで正しい。しかし、交感神経末端での伝達物質はノルアドレナリンである。

次の記述で、正しいものには〇、誤っているものには×を付けよ。

問27
check!
□□□
ヒトとウニの卵黄は薄く全体に存在するので同じ卵割様式をとる。

問28
check!
□□□
酵素は脂質でできていて、基質特異性を持つものである。

問29
check!
□□□
ある一定の基礎濃度の下で、酸素濃度を X としたときの反応生成物の量 K は、酸素濃度を X/2 としても K のままである。

問30
check!
□□□
RNA は DNA と同じ核酸だが、糖がデオキシリボースになっている。

問31
check!
□□□
DNA が 2 本のヌクレオチド鎖がからんだ二重らせん構造していることを発見したのは、ワトソンとクリックである。

問27　○　ヒトもウニも卵黄が少なく全体に分布する等黄卵である。卵割は卵黄を避けるようにして行われ、卵割様式は等割である。哺乳類全般のほか、ナメクジウオもこの卵割様式をとる。

問28　×　酵素とは「生体内の特定の化学反応を促進させる物質」である。生体内の化学反応はたくさんあるので、アミラーゼ、カタラーゼ、チマーゼなど反応の数だけ様々な酵素がある。酵素はタンパク質でできていて、ゆえに、pH や温度に鋭敏に反応する。酵素がもっともよく働く温度を最適温度、もっともよく働く pH を最適 pH という。成分はタンパク質なので、煮沸するとタンパク質が変性し、酵素は失活（働きを失うこと）する。酵素は特定の物質にのみ働く性質を持っている。これを基質特異性という。

問29　○　基礎濃度が一定であれば、酸素濃度を 1/2 にしても反応生成物の量は変わらない。ただし、酸素量が 1/2 になった分、K に達するまでの時間は 2 倍かかることになる。

問30　×　糖はリボースである。主たる RNA には mRNA（伝令RNA）、tRNA（運搬RNA）、rRNA（リボソームRNA）の 3 種類がある。一般にタンパク質はこの RNA によって合成されるが、その流れは、（1）DNA の塩基配列をコピーして mRNA ができ、（2）mRNA の塩基配列に対応した tRNA がアミノ酸をつれてきて mRNA と結合する。（3）アミノ酸同士がペプチド結合し、タンパク質ができる。（2）（3）の過程は細胞質にあるリボソームで行われ、そのリボソームの形成に rRNA が使われている。

問31　○　2 本をつなぐ塩基の組合わせは、アデニン（A）とチミン（T）、グアニン（G）とシトシン（C）というように必ず決まった組合わせになる。この関係を相補正といい、A と T、G と C のことを相補的塩基対という。

次の記述で、正しいものには〇、誤っているものには×を付けよ。

問32 check! □□□　次の図は精子を模式的に示したものである。Aの部分はゴルジ体が変形したものである。

←A

問33 check! □□□　ヌクレオチドはリン酸と糖（五炭糖）と塩基からできている核酸の構成単位のことを指す。

問34 check! □□□　両生類の発生に関して、原腸胚初期に原口背唇部の細胞の陥入が始まり、このとき卵割腔は押し縮められて原腸となる。

問35 check! □□□　動物の行動には、生得的行動と習得的行動があり、前者には学習行動、知能行動が、後者には走性、反射、本能行動がある。

問36 check! □□□　植物細胞は蒸留水中でも壊れないが、動物細胞（赤血球）は蒸留水中で破裂（溶血）する。

問37 check! □□□　採集した土を下図の装置に入れて電灯をつけると、しばらくしてペトリ皿の上に土のなかの小動物が多数採集できた。

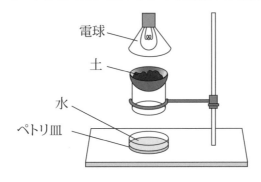

電球

土

水

ペトリ皿

問32　○　精子は一般に、頭部・中片部・尾部の３つの部位から作られている。頭部の先端には先体と呼ばれる器官があり、これはゴルジ体が変形したものである。また中片部にはミトコンドリアが存在し、鞭毛の運動のためのエネルギーを生成している。尾部は中心体が変形したものである。

問33　○　ＤＮＡの構成単位はヌクレオチドという。ＤＮＡの場合、糖はデオキシリボース、塩基にはアデニン、グアニン、シトシン、チミンの４種類がある。このヌクレオチドのリン酸と糖の部分が結合して長い鎖（ヌクレオチド鎖）を作っている。

問34　○　両生類の発生では、胞胚を過ぎて原腸胚初期に原口背唇部の細胞が陥入を始めると、次第に卵割腔は圧迫され消失する。そして陥入した細胞層によって原腸が生じる。

問35　×　設問文は正反対のことをいっていて、生得的行動には走性、反射、本能行動、習得的行動には学習行動、知能行動がある。

問36　○　植物細胞には動物細胞にはない細胞壁が存在し、低張液中では浸透圧の作用を受けにくい。

問37　○　土のなかの小動物は光や乾燥を嫌うからである。この装置はツルグレン装置という。土壌中に棲息する小さな分解者を採集するのに適している。

次の記述で、正しいものには〇、誤っているものには×を付けよ。

問38
check!
☐☐☐

顕微鏡に２つのミクロメーターを取り付けて観察したところ、両方の目盛りが視野のなかに次の図のように重なって見えた。この場合の接眼ミクロメーターの１目盛りの長さは約 2.5 μm である。ただし、対物ミクロメーターは 1mm を 100 等分した目盛りである。

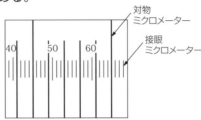

問39
check!
☐☐☐

次の図はトウモロコシの種子の発芽時における呼吸商の変化を示したグラフである。このグラフによると主な呼吸基質は発芽直後は炭水化物を、40 時間後は脂質を用いていることが分かる。

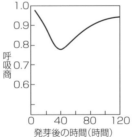

問40
check!
☐☐☐

始祖鳥（しそちょう）の化石は鳥類が爬虫類から進化したことを示している。

問41
check!
☐☐☐

鳥類と魚類は同じ脊椎動物であるが、これらはゴカイなどの環形動物が共通の祖先である。

問42
check!
☐☐☐

被子植物の重複受精は、１つの精細胞と卵細胞が受精するのと同時にもう１つの精細胞と極核２つが受精する。

問38　○　接眼ミクロメーターと対物ミクロメーターの目盛りが一致した2点を選ぶ。接眼ミクロメーターの目盛り数は（61 − 41）= 20目盛り、対物ミクロメーターの目盛り数は5目盛り。$\frac{5}{20} \times 10 = 2.5$（$\mu$m）。この場合、対物の1目盛りと接眼の4目盛りに一致すると考えてもよい。

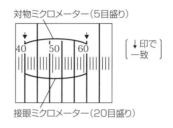

対物ミクロメーター（5目盛り）

40　50　60

［↓印で一致］

接眼ミクロメーター（20目盛り）

問39　×　呼吸商は呼吸のときに放出した二酸化炭素の体積を吸収した酸素の体積で割った値である。炭水化物、タンパク質、脂質はそれぞれ1.0、0.8、0.7という固有値がある。グラフは呼吸商の変化から、呼吸基質には最初、炭水化物が使われ、その後タンパク質に変わり、再び炭水化物が使われるようになることが分かる。

問40　○　始祖鳥は、つばさの先に爪、口には歯、尾に骨があるなど、いくつかの点で爬虫類の特徴を残している。

問41　×　脊椎の原形を持つ動物の祖先は、ナメクジウオやホヤなどの原索動物であると考えられている。環形動物のゴカイは無脊椎動物のグループに属する。

問42　○　花粉管はなかに花粉管核と精細胞2つを持ち、珠孔（胚珠の入り口）に向かって進む。胚珠には卵細胞と極核2つが精細胞の受け入れを待っている。精細胞1つと卵細胞が受精すると胚（核相2n）になり、残りの精細胞と極核2つが受精すると胚乳（核相3n）となる。

次の記述で、正しいものには〇、誤っているものには×を付けよ。

問 43
check!
□□□
アサガオのように、種子によって増える生殖を無性生殖という。

問 44
check!
□□□
果樹などの栽培では、優れた形質を持つ個体を増やすとき、種子を利用する。

問 45
check!
□□□
ソラマメの根の部分を使って細胞分裂の様子を観察するには、根の根冠の部分を観察すればよい。

問 46
check!
□□□
細胞を観察するときには酢酸カーミンという染色液を用いる。

問 47
check!
□□□
肝臓は体内の化学工場にたとえられるように物質代謝の盛んな器官である。

問 48
check!
□□□
光合成によって放出された酸素は二酸化炭素（CO_2）が分解されて生成したものである。

問 49
check!
□□□
有害物質であるアンモニアを害の少ない尿素に変換するのは肝臓の働きである。

問 50
check!
□□□
腎臓のボーマン嚢によってろ過されたろ液は原尿と呼ばれるが、原尿は血液中と 同じ血糖濃度である。

問 51
check!
□□□
赤血球、白血球、血小板はその機能を失うと、いずれも脾臓で破壊される。

問43　×　アサガオは、種子によって増える有性生殖である。これに対して、細胞分裂による生殖、ジャガイモのくぼみの部分から新しい芽が出る、さし木によって増えるなどの生殖を無性生殖という。

問44　×　果樹などの栽培では、さし木などの無性生殖を利用する。無性生殖の利点は、子は親とまったく同じ形質を持つため、優れた形質をそのまま伝えることができることである。

問45　×　根の先端部分よりやや上側に成長点があり、細胞分裂が盛んなので、様々な分裂の過程を観察するのに適している。

問46　○　酢酸カーミンで細胞の染色体を染めることにより観察がしやすくなる。

問47　○　肝臓は盛んな物質代謝の結果として、熱を発生し、体温調節に関与する。また体温調節のほかには脂肪の消化を助ける胆液の生成にも関与する。

問48　×　光合成は　$6CO_2 + 12H_2O \rightarrow C_6H_{12}O_6 + 6O_2 + 6H_2O$　で示されるように二酸化炭素 CO_2 と水 H_2O でグルコース $C_6H_{12}O_6$ を合成する反応であるが、そのとき生じる酸素 O_2 は水に由来するものである。二酸化炭素 CO_2 の O 原子はグルコース合成に用いられる。

問49　○　肝臓はオルニチン回路と呼ばれる反応系によって毒性の強いアンモニアを毒性の弱い尿素に変換する。このほかにも肝臓はアルコールや過酸化物の解毒作用としても重要な役割をになう。

問50　○　原尿は血液中と同じ 0.1％の血糖値を示す。しかし、この原尿に含まれる特定の物質は毛細血管によって再び血液中へ再吸収される。このときグルコースは 100％再吸収される。再吸収されない場合は糖尿病である。

問51　×　機能が低下した血球成分は主に肝臓で破壊される。脾臓では、赤血球だけが破壊される。

次の記述で、正しいものには○、誤っているものには×を付けよ。

問 52
check!
□□□

肺炎双球菌には被膜を持つS型菌と被膜を持たないR型菌がある。S型菌をネズミに注射すると発病し死に至る。一方同じ菌のR型菌をネズミに注射すると発病しない。S型菌に病原性があるのは被膜から肺炎を起こす毒素が分泌されているからである。

問 53
check!
□□□

森林は雨水を蓄える「自然のダム」といわれることがある。

問 54
check!
□□□

地面を掘って落ち葉が堆積している様子を調べたら、下層ほど大きくなっていた。

問 55
check!
□□□

上流にはヤマメ、下流にはイワナというように2種の生物で生息場所が異なる理由はそれぞれが縄張りを形成しているからである。

問52　✕　肺炎双球菌が持つ被膜は動物の免疫力から守る働きをしている。S型菌とR型菌の両菌をネズミに注射した場合、被膜を持つS型菌はネズミの免疫力から免れるが、R型菌は破壊される。したがってS型菌のみが病原性を発揮できる。

問53　○　植物の根や落ち葉の層がスポンジのように雨水を吸収して蓄えるからである。

問54　✕　落ち葉は下層ほど細かくなる。下層ほど土中の生物によって食べられたり、分解されたりしているからである。

問55　✕　縄張りは同種他個体に対してのみ用いる。設問の場合はヤマメとイワナというように異種間での相互作用である。この2種の関係は餌は同じものを食べているので棲み分けという。餌が異なれば食い分けという。

次の記述を読んで、解答群から正解を 1 つ選べ。

問56
check!
□□□

ある種のアサガオの赤い花の雌しべに白い花の葉分を受粉させ、できた種子をまいたところ、花はすべて桃色になった。桃色の花の雌しべに、同じく桃色の花の花粉（交配①）、赤い花の花粉（交配②）、白い花の花粉（交配③）を受粉する３つの交配実験を行った。得られた種子をまいたすると、このアサガオの花の色の分離比（桃：赤：白）として正しいものを１つ選べ。

1　交配①　1：1：1
2　交配①　1：1：0
3　交配②　1：3：0
4　交配③　2：1：1
5　交配③　1：0：1

問56　正解5

　このアサガオの赤い花の雌しべに白い花の花粉を受粉させ、できた種子をまいてできた個体の花は、赤色が白色に対して優性ならば赤色になるはずである。しかし、設問文より赤色遺伝子は白色遺伝子に対して不完全優性を示し、Ａａは中間の桃色となる。
交配①はＡａ×ＡａでＦ₁がＡＡ：Ａａ：ａａ＝赤：桃：白＝1：2：1
交配②はＡａ×ＡＡでＦ₁がＡＡ：Ａａ＝赤：桃＝1：1
交配③はＡａ×ａａでＦ₁がＡａ：ａａ＝桃：白＝1：1
　となるので正解は5である。

次の記述を読んで、解答群から正解を1つ選べ。

問57
check!
□□□

次の図の（a）〜（d）は、ある双子葉植物の葉を表面に平行に薄切りし、染色した後、顕微鏡で観察した構造を模式的に示したものであり、下の文章（a）〜（d）は図をそれぞれ説明したものである。

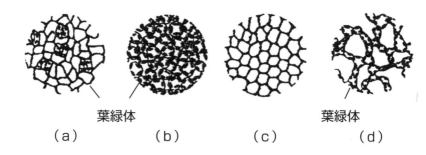

葉緑体		葉緑体	
（a）	（b）	（c）	（d）

（a）　特徴的な細胞が散在し、葉緑体を含む細胞と含まない細胞が観察された。
（b）　細胞が密に存在し、いずれの細胞内にも葉緑体が観察された。
（c）　半透明な細胞がすき間なく並んでいた。
（d）　個々を構成している細胞には葉緑体が観察されるが、すき間がたくさん観察された。

上の（a）〜（d）の文章を参考にし、図の（a）〜（d）を、葉の表面から裏側に向かって並べるとどのような順序になるか。

1　c→d→b→a
2　b→a→c→d
3　c→b→d→a
4　d→b→a→c
5　d→a→b→c

問 57　正解 3

（a）は孔辺細胞が見られることから裏側の表皮であると類推する。

（b）は葉緑体を含む細胞が規則的に密に観察されることからさく状組織と考える。

（c）は細胞壁のみ観察され、葉緑体を持たないので葉の表面である。

（d）は葉緑体を含む細胞の間にすき間が存在することから海綿状組織である。

　葉の表面の細胞は主に紫外線や物理的な刺激から内部を守る役割があり、葉緑体は存在しない。また、気孔は葉の裏側に多く存在するため、空気を取り入れやすくするためにすき間の多い海綿状組織がさく状組織の下側にくるのである。

次の記述で、正しいものには〇、誤っているものには×を付けよ。

 問1 火山噴出物や火成岩を作るもとの物質で、地下にあって高温でどろどろにとけた物質をマグマという。

 問2 マグマが火口から地表に流れ出たものを火山灰という。

 問3 火山ガスの主成分は、二酸化炭素である。

 問4 マグマのねばりけが一番弱い火山は成層火山である。

 問5 マグマが冷え固まってできた岩石のことを火成岩という。

問6 火山の地表近くの岩石でセキエイ、チョウ石、ウンモを多く含むものはリュウモン岩である。

問1 ○　大型の火山の地下では、マグマは地下深くでできて、上昇し、一度マグマだまりにたまる。さらにマグマが上昇し、地表が近づくにつれてまわりの圧力が小さくなり、マグマに含まれていた火山ガスが急に膨張する。そしてマグマ内の圧力が大きくなり、噴火口目指して飛び出す。これが噴火である。このようにマグマは噴火のエネルギーや噴出物の供給源となる。

問2 ×　マグマと溶岩は同じものである。「マグマ」は地表に出る前の名前で、噴火口から地表に出たとたん「溶岩」という名前に変わる。これに対して「火山灰」は、火口から噴出する溶岩や鉱物の結晶のかけらで、微細な灰状の物質のことをいう。

問3 ×　火山ガスは火山から噴出するガスで、マグマ中に含まれている揮発成分が分離したもので、その成分には二酸化炭素も含まれるが、主成分は水蒸気である。

問4 ×　火山の形成は、噴出するマグマの化学組成、粘性、ガス圧などの性質によるところが大きい。溶岩のねばりけが弱い火山では、溶岩が流れやすいので薄く広がり、平らな形をしていることから盾状火山と呼ぶ。アウナロア山やキラウエア山などが代表的である。成層火山の溶岩のねばりけは中間的であり、溶岩と火山灰などが交互に噴出してたい積してできる火山であり、富士山、浅間山、桜島などが代表的である。

問5 ○　火成岩は、できる過程の違いで、さらに火山岩と深成岩とに分けられる。火山岩は、マグマが地表または地表に近い所に噴出してきて冷えて固まったものであり、深成岩はマグマが地下の深い所でゆっくりと冷え固まってできた岩石である。

問6 ○　地表近くにある岩石は火山岩であり、セキエイ、チョウ石、ウンモを多く含むものはリュウモン岩である。色は白い。なお、同じようにセキエイ、チョウ石、ウンモを多く含み、白みを帯びた岩石としてカコウ岩があるが、こちらは深成岩である。

次の記述で、正しいものには〇、誤っているものには×を付けよ。

問7
check!
☐☐☐
火山岩は等粒状組織をしており、石基や斑晶が確認できる。

問8
check!
☐☐☐
震源からの距離が同じであれば、地震の揺れの大きさは同じである。

問9
check!
☐☐☐
プレートは海溝で生まれて、海嶺に沈んでいく。

問10
check!
☐☐☐
海岸段丘において、段丘面が上にあるものほど古い地形である。

問11
check!
☐☐☐
河口の海岸近くで水の流れが速い所には泥がたい積する。

問7　×　火山岩は急に冷え固まってできるために、鉱物の結晶が大きく成長できず、小さな鉱物の粒や非晶質の部分（石基）を主体とする岩石ができる。石基のなかに点在する比較的大きな結晶を斑晶という。このように石基と斑晶からなる組織を斑状組織という。リュウモン岩、アンザン岩、ゲンブ岩が該当する。これに対して深成岩は、鉱物の結晶がすべて大きく成長し、大粒の結晶だけが集まった岩石である。これを等粒状組織といい、カコウ岩、センリョク岩、ハンレイ岩がある。

問8　×　一般に地震の揺れは震源に近いほど大きく、遠くなるほど小さくなる。しかし、実際の地震の揺れには小さい場所と大きい場所とがある。揺れの小さい場所の地盤は、揺れの大きい場所の地盤より固い。また、建物の種類によっても揺れの大きさは異なる。

問9　×　プレートとは、地殻と上部マントルの一部とからできたものをいい、マントル物質が地球深部で熱せられて上昇したわき出し口が海嶺であり、ここで新しいプレートが生まれる。太平洋や大西洋には長い海嶺が続いている。ここからプレートが生まれ、海溝に向かって移動している。日本のすぐ東側にも深い海嶺が伸びている。そしてプレートは海溝に落ちて行き、消滅する。

問10　○　海岸段丘は隆起した地形に海水が浸食し、段丘面を形成し、さらに隆起が生じ、階段状に変化していく。したがって段丘面の数が隆起の回数と等しく、上にある段丘面ほど、過去に起きた隆起によってできた段丘面ということになる。

問11　×　たい積するのは泥ではなくれきである。れきは粒の直径2mm以上の石ころである。砂は粒の直径0.06～2mmの石の破片、泥・粘土は粒の直径0.06mm以下の破片のことをいう。水の流れが速い所では重い物から順にたい積する。

次の記述で、正しいものには○、誤っているものには×を付けよ。

問 12
check!
□□□
火山灰や火山砂などがたい積してできた岩石を泥岩という。

問 13
check!
□□□
ボウスイチュウ・サンゴなどの死がいがたい積してできた岩石を石灰岩という。

問 14
check!
□□□
ホウサンチュウなどの死がいがたい積してできた岩石をれき岩という。

問 15
check!
□□□
地層の広がりや上下関係を知る手がかりとなる特徴のある地層を不整合という。

問 16
check!
□□□
安定な環境の下で、たい積が連続して行われたときの地層の重なり方を整合という。

問 17
check!
□□□
上下の地層の間に不連続な面が見られる場合の地層の重なり方を不整合という。

問12　×　火山噴出からできたものは、ギョウカイ岩という。火山灰・火山砂・火山れきなど火山の噴火で飛んだ火山噴出物がたい積して押し固められたものである。泥岩というのは、砂や泥が固まってできた岩石であり、粒子の大きさによって、れき岩、砂岩と区分される。ギョウカイ岩も泥岩も、たい積岩の一種である。

問13　○　ボウスイチュウ・サンゴ・フズリナ・貝などの石灰質や海水中の石灰分が沈殿してたい積し、押し固められたものが石灰岩である。主に炭酸カルシウムからできていて、うすい塩酸をかけると泡（二酸化炭素）が出る。

問14　×　ホウサンチュウ・ケイソウなどの死がいや海水中の二酸化ケイ素が沈殿してたい積し、押し固められた岩石をチャートという。石灰岩と違って、主に二酸化ケイ素からできているので、うすい塩酸をかけても泡が出ない。

問15　×　地層の読みとりで、重大な手がかりになるものはかぎ層である。かぎ層とは、広い範囲に分布した特徴のある岩石の層をいう。ギョウカイ岩、チャート、化石を含んだ層などが離れた場所に2つ以上あるとその上下関係や広がりを知ることによって有力な手がかりとなる。

問16　○　隆起や海退があっても、1度も陸上に出ることがなくずっと海底でたい積が続いたときには、上下に重なっている地層が連続してたい積し、時間的な隔たりがない。この状態の上下の地層は整合であるという。

問17　○　地層と地層の間がでこぼこになっている所が不整合面である。不連続な面が見られる場合とは、隆起や海退などの原因で、地層が1度陸上になったときや、火成岩（とくに深成岩）とたい積岩の間によく見られる。

次の記述で、正しいものには〇、誤っているものには×を付けよ。

問 18
check!
☐☐☐

震源から 100km の地点で初期微動継続時間が 10 秒だったとき、震源から 200km の地点での初期微動継続時間は 100 秒である。

問 19
check!
☐☐☐

その地震そのもののエネルギーの大きさを震度という。

問 20
check!
☐☐☐

気圧とは空気の重さの圧力で、1 気圧は 1000hPa である。

問 21
check!
☐☐☐

空気 1m³ に含むことができる最大の水蒸気量を飽和水蒸気量という。

問 22
check!
☐☐☐

これ以上水蒸気を含めなくなったときの、その空気の温度を飽和温度という。

問 23
check!
☐☐☐

湿度とは、空気の湿り具合を数字で表わしたものである。

問18　×　答えは20秒である。震源からの距離と初期微動継続時間は比例するからである。地震波は、初めに初期微動といわれる小さい震動があり、次に主要動といわれる大きい震動に移る。始まりの部分をP波（縦波）、主要部分をS波（横波）と呼ぶ。震源からの距離はS波とP波の到達までの時間差により求めることができる。

問19　×　地震そのもののエネルギーの大きさはマグニチュードで表わす。エネルギーは震央から100km離れた地点の震度計に記録された最大振幅をもとに定める。これに対して、各土地の揺れの強さの程度(各土地の震度計で測定されたもの)を表わすものが震度である。

問20　×　1気圧とは約1kg重/cm²＝1013hPa（ヘクトパスカル）で表わす。気圧とは一般的には気体の圧力のことをいうが、気象学では大気の圧力のことをいい、1cm²当たり約1kg重の強さを1気圧とする。1013hPa（ヘクトパスカル）を1気圧という。低気圧、高気圧の区別は、周辺の気圧と比べて相対的に高いか低いかで決まる。

問21　○　空気はいくらでも水蒸気を含むことができるわけでなく、気温によって限度がある。普通、空気中に含まれる水蒸気の量は「その空気1m³中に含まれている水蒸気の質量」で表わされ、限界に達したときの水蒸気の量を「飽和水蒸気量」という。

問22　×　これ以上水蒸気を含めない状態（水蒸気が飽和の状態）になったときの空気の温度を「露点」という。露点温度以下になると、飽和以上に存在する水蒸気は水滴となる。これを凝結という。

問23　○　湿度は、次の式によって求められる。

$$湿度（\%）＝\frac{1m³の空気中に含まれている水蒸気の量（g/m³）}{その気温での飽和水蒸気量（g/m³）}×100$$

温度が高くなると飽和水蒸気量は増加するので、ある温度で飽和に達していても、温度が高くなると不飽和になり蒸発が起こる。

次の記述で、正しいものには○、誤っているものには×を付けよ。

問 24
check! □□□

気温 15℃、湿度 75%の空気 1m³ に含まれる水蒸気の質量は、12.8g である。また気温 15℃の飽和水蒸気量は 12.8g である。

問 25
check! □□□

1m³ 当たり水蒸気が 7.6g 含まれている空気がある。湿度を調べたら 25%だった。このときの気温は 25℃である。

気温（℃）	飽和水蒸気量（g/m³）
30	30.4
25	23.1
20	17.3
15	12.8
10	9.4
5	6.8

問 26
check! □□□

密封されたお菓子の袋を高い山の山頂に持って行くと、袋がしぼむ。

問 27
check! □□□

暖気団と寒気団がぶつかったとき両気団の接触面を前線面という。

問24　×　1m³ に含まれる水蒸気の質量を xg として、設問文の数値とともに公式に代入する。1m³ と書いてあるので、ここでは水蒸気量の単位は g/m³ でなく、g を使っている。

$$75\,(\%) = \frac{x\,(g)}{12.8\,(g)} \times 100$$

これを解くと、$x = 12.8\,(g) \times 0.75 = 9.6\,(g)$　答えは 9.6 g となる。

問25　×　求めたい気温の飽和水蒸気量を xg/m³ として、設問文の数値とともに公式に代入する。1m³ 当たりの水蒸気の質量を求めればよい。

$$25\,(\%) = \frac{7.6\,(g)}{x\,(g)} \times 100 \quad これを解く。$$

$$x\,(g) = \frac{7.6\,(g)}{25} \times 100 = 30.4\,(g)$$

飽和水蒸気量の表で見ると、30.4g は気温 30℃のときの飽和水蒸気量であるから、よって、正解は 30℃となる。

問26　×　気圧は水圧と同様、物体を押しつぶすようにあらゆる向きから働く。気象で出てくる気圧の場合、気圧が高いと空気が詰まっている様子を、気圧が低いと空気が少ない様子をイメージしてみるとよい。高い山の山頂では気圧が下がり、袋のなかの気圧のほうが高いので袋はふくらむ。

問27　○　気団とは、広い範囲にわたって気温や湿度などがほぼ一様な性質を持った大気のかたまりのことで、気温の違う気団はぶつかってもすぐには混じり合わない。気温の違う気団同士がぶつかったときの気団の境界線を前線面といい、前線面が地表と交わってできる線を前線という。前線と前線面ができる。

次の記述で、正しいものには〇、誤っているものには×を付けよ。

問 28
check!
□□□

日本の季節の天気に大きな影響を与える気団は主に 4 つある。その気団は生まれた場所の性質を持っている。

問 29
check!
□□□

地球の自転軸で、北極と南極を結んだ線を地軸という。

問 30
check!
□□□

星の運動（日周運動）では、地球の自転が原因の見かけの運動であったように、太陽が 1 日に東のほうから西のほうへ動き、また次の朝には東のほうに現われる。

問 31
check!
□□□

上空へ行くほど気圧が低いため、上昇する空気は圧縮される。

問 32
check!
□□□

等圧線は 1013hPa を基準にして、4hPa ごとに引き、40hPa ごとに太線にする。

問 33
check!
□□□

熱圏には電子密度の高い E 層、F 層と呼ばれる電離層があり、これらがラジオやテレビなどの電波などを反射するので通信が可能になっている。

問 34
check!
□□□

東京ドームの屋根の作りは 1 本の支柱もない。これは大気圧差を利用した建築物だからである。

問 35
check!
□□□

すべての惑星は、太陽の周囲を同一向きに公転している。

問28　○　日本付近に影響を与える気団としては、次の4つがあり、その性質と発達する時期は次の通りである。

1　シベリア気団……冷たく乾いている（冬）
2　オホーツク海気団……冷たく湿っている（梅雨・秋雨期）
3　揚子江気団……暖かく乾いている（春、秋）
4　小笠原気団……暖かく湿っている（梅雨期～夏、秋雨期）

問29　○　地球の自転軸は公転面に立てた垂線に対して23.4°傾いている。このため、地球の太陽光線のあたり方は季節によって変化し、春分・秋分の日には太陽は赤道上を照らし、夏至には北緯23.4°の北回帰線上、冬至には南緯23.4°の南回帰線上を照らす。

問30　○　これは地球の自転が原因の見かけの動きである。地球は地軸を中心として、1日1回西から東へ自転する。

問31　×　地表付近で温められた空気は、上空へ行くほど気圧が低いため、上昇する空気は膨張する。

問32　×　等圧線は1000hPaを基準として、4hPaごとに引き、20hPaごとに太線にする。

問33　×　熱圏は、大気圏のうち中間圏の上方に位置する領域で、電子密度の高いE層、F層と呼ばれる電離層がある。E層、F層は中波や短波といったラジオ電波は反射するが、テレビの電波（長波）は反射しない。

問34　○　東京ドームでは外の空気圧が1013hPaであるのに対し、ドーム内の気圧は1016hPaとやや高めに設定されている。これはドーム内に空気を送り込み気圧を保っているためで、これにより東京ドームは屋根に1本の支柱がなくても崩れ落ちないのである。

問35　○　惑星は、すべて太陽系を北から見ると反時計回りに公転しており、太陽の自転の向きと同じ向きである。

次の記述を読んで、解答群から正解を 1 つえらべ。

問 36
check!
□□□

赤道をはさんで南北 10° の範囲に比較的雲の多い帯状の部分がある。この付近を赤道収束帯といい、年間を通じて雨量が多い。その理由としてもっとも適当なものを次の 1 ～ 5 のうちから選べ。

1　赤道付近は台風の発生が多いため。
2　赤道付近は下降気流帯が形成されるため。
3　季節風が吹き込むため。
4　赤道付近は低圧帯が形成されているため。
5　海水温度が高いため。

問 37
check!
□□□

地球大気の標準的な鉛直分布に関して、対流圏では高さとともに温度が低下している。その割合が 1 k mにつき約 6℃になる理由としてもっとも適当なものを次の 1 ～ 5 のうちから選べ。

1　雲の中には氷晶が存在する。
2　大気中の水蒸気量は高さとともに減少する。
3　対流が起こり、水蒸気の凝結熱（潜熱）が放出される。
4　太陽放射エネルギーの一部は、雲により宇宙空間へ反射される。
5　人間活動の熱エネルギーが減少する。

問36　正解4

　赤道収束帯は北東貿易風と南東貿易風とが合流し、そこに収束帯を形成する。集まった空気は上昇気流を作り、積乱雲の雲の帯を作る。上昇気流となった地上付近は、空気の量が少なく低気圧となる。積乱雲の雲の帯は、赤道をはさんだ低緯度の雲の帯である。赤道付近は、転向力が働かないので台風の発生はない。また、海水温度との関連はない。

問37　正解3

　雲は大気圏のうち気温減率のする対流圏で生じる。空気塊は上昇に伴う断熱膨張をし、このときの空気塊の気温減率は1℃/100mで下がる。その後、雲の発生時における空気塊の気温減率は0.5℃/100mで小さい。これは雲の発生による水蒸気の凝結に伴う潜熱の放出によるためである。

ワンポイント・レッスン

物理・化学の主要法則

エネルギー保存の法則
エネルギーの種類が変化しても、変換前と変換後のエネルギーの総和は一定である。

ボイルの法則
一定温度において、気体の体積は圧力に反比例する。

シャルルの法則
気体の体積は一定気圧の下では、1℃の上昇によって0℃での体積の273分の1ずつ増加する、あるいは、気体の体積はその絶対温度に比例する。

熱量保存の法則
高温の物体と低温の物体を接触または混合させると、2つの高温物体の温度はやがて同じになる。外部との熱の出入りがないとき、高温の物体の失った熱量と低温の物体が得た熱量とは等しくなる。

熱力学の第一法則
外部からなされた仕事と与えられた熱量との和は、内部エネルギーの増加に等しい。
$\Delta U = Q + W$

熱力学の第二法則
熱は高温物体から低温物体へのみ移動し、熱をすべて仕事に変えることはできず、永久機関を作ることは不可能である。

質量保存の法則
化学反応の前と後とで物質の総質量は変わらない。質量不変の法則ともいう。

フックの法則
バネの伸びは引く力に比例する。

慣性の法則
静止しているか、等速直線運動をしている物体は、外力が働かなければいつまでもその状態を続ける。運動の第一法則

運動の法則
物体に外力が働くとその力の方向に、力に比例し質量に反比例した加速度を生ずる。運動の第二法則

作用・反作用の法則
物体が他の物体に力を及ぼすとき、相手の物体は同一直線上にあって大きさが等しい逆向きの力を働き返す。運動の第三法則

オームの法則
一定の導体に流れる電流は電圧に比例し、抵抗に反比例する。

屈折の法則
波は媒質の境界面で速さの遅い媒質の側へまがって進む。

Lesson 4

国語、数学
数的推理
判断推理

国語では漢字の読み書きが問われることが多い。熟語、ことわざともによく学習しておく。数学では基本的な思考能力を試されるものが多いが、数的推理・判断推理では学校での学習内容と異なる問題形式が多いので、出題傾向の把握と解法をマスターしておく。立体図形を用いた問題もよく出題される。

次の記述を読んで、解答群から正解を 1 つ選べ。

問 1
check!
□□□

A～Eの下線を付けた部分を漢字にした場合、その使い分けが最も適当な組合わせはどれか。

A　列を<u>ととの</u>える
B　資金を<u>ととの</u>える
C　実現に<u>つと</u>める
D　大役を<u>つと</u>める
E　会社に<u>つと</u>める

	A	B	C	D	E
1	整	調	努	勤	務
2	整	調	努	務	勤
3	調	整	努	勤	務
4	調	整	努	務	勤
5	調	整	務	努	勤

問 2
check!
□□□

A～Eの下線を付けた部分を漢字にした場合、その使い分けが最も適当な組合わせはどれか。

A　万一に<u>そな</u>える
B　仏前に<u>そな</u>える
C　人権を<u>おか</u>す
D　重罪を<u>おか</u>す
E　危険を<u>おか</u>す

	A	B	C	D	E
1	供	備	冒	侵	犯
2	供	備	侵	犯	冒
3	備	供	冒	侵	犯
4	備	供	犯	侵	冒
5	備	供	侵	犯	冒

問1　正解2

　「ととのえる」は常用漢字表に2つの漢字があり、それぞれ次のように使い分ける。

　　整える→乱れたところを直す。（整頓。体調を整える。服装を整える。形を整える。）

　　調える→足りないものがないように用意する。（調達。材料を調える。旅装を調える。）

　「つとめる」は常用漢字表に3つの漢字があり、それぞれ次のように使い分ける。

　　努める→一生懸命に励む。（努力。解決に努める。）

　　務める→なすべきことをする。（義務。委員を務める。）

　　勤める→職務に精を出す。（通勤。役所に勤める。）職場が示されることが多い。

問2　正解5

　「そなえる」は常用漢字表に2つの漢字があり、それぞれ次のように使い分ける。

　　備える→前もって用意する。（準備。備えあれば憂いなし。）持っているという意味の「具える」は「備」で代用する。（能力を具（備）える。）

　　供える→神仏に差し上げる。（供養。お墓に花を供える。）

　「おかす」は常用漢字表に3つの漢字があり、それぞれ次のように使い分ける。

　　侵す→他人の領分に入り込む。（侵略。侵害。領土を侵す。権利を侵す。）

　　犯す→掟を破る。（犯罪。法を犯す。過ちを犯す。）

　　冒す→あえて無理なことをする。（冒険。冒瀆。危険を冒す。尊厳を冒す。）

次の記述を読んで、解答群から正解を1つ選べ。

問3
check!
□□□

A～Eの下線を付けた部分を漢字にした場合、その使い分けが最も適当な組合わせはどれか。

A　時間を<u>はか</u>る
B　審議会に<u>はか</u>る
C　合理化を<u>はか</u>る
D　会長に<u>か</u>わって挨拶する
E　新鮮な空気に<u>か</u>わる

	A	B	C	D	E
1	計	諮	図	代	換
2	測	図	謀	換	変
3	測	諮	図	換	変
4	計	図	謀	代	換
5	測	諮	図	代	変

問4
check!
□□□

次の熟語の読みとして正しいものの組合わせはどれか。

	斡旋	暫定	更迭	払拭
1	かんせん	ぜんてい	こうそう	ふっしき
2	かんせん	ぜんてい	こうてつ	ふっしき
3	かんせん	ぜんてい	こうそう	ふっしょく
4	あっせん	ざんてい	こうてつ	ふっしょく
5	あっせん	ざんてい	こうそう	ふっしき

問3　正解 1

「はかる」は常用漢字表に6つの漢字があり、それぞれ次のように使い分ける。

測る→長さや角度をはかる。（測量。面積を測る。速度を測る。）

量る→重さや体積をはかる。（容量。目方を量る。）

　また、「推」「量」には、おしはかるという意もある。（推量、推測、情状酌量）

計る→数や時間をはかる。（集計。時計。量、測とも熟語を作る。計量、計測。）また、「計」には企てるという意味もある。計画。

図る→実現しようとする。（意図。解決を図る。便宜を図る。）

謀る→たくらむ。（陰謀。悪事を謀る。）

諮る→意見をもとめる。（諮問。会議に諮る。部下に諮る。）

「はかる」は用法が重なっているので、意味の狭い「諮」や「謀」から決めるとよい。

「かわる」は常用漢字表に4つの漢字があり、それぞれ次のように使い分ける。

変わる→ある1つのものが変化する。（変形。変更。形が変わる。住所が変わる。）

代わる・替わる→あるものの役を引き継ぐ。（代替。交代。為替。所長が代わる。）

換わる→あるものが別のものと交換される。（換気。換言。円をドルに換える。）

問4　正解 4

斡旋→あっせん（間に入って両者の間をとりもつこと。また、人に紹介すること。）

暫定→ざんてい（正式に決定するまでの臨時という意味）。「暫」＝しばらく。

更迭→こうてつ（ある地位に就いている者を交替させること）。「迭」と「鉄」は同音。

払拭→ふっしょく（すっかり除き去ること）。「払」＝はらう。「拭」＝ぬぐう。

次の記述を読んで、解答群から正解を1つ選べ。

問5

A〜Eの下線を付けた部分を漢字にした場合、その使い分けが
最も適当な組合わせはどれか。
A　行いを<u>おさ</u>める
B　国家を<u>おさ</u>める
C　利益を<u>おさ</u>める
D　家具が<u>いた</u>む
E　古傷が<u>いた</u>む

	A	B	C	D	E
1	修	治	収	傷	悼
2	治	収	納	悼	傷
3	修	治	収	傷	痛
4	納	収	治	悼	傷
5	収	治	納	傷	痛

問6

次の熟語の読みとして正しいものの組合わせはどれか。

	相殺	拘泥	逝去	出納
1	そうさい	くでい	せいきょ	すいとう
2	そうさい	こうでい	せいきょ	すいとう
3	そうさい	くでい	せっきょ	すいとう
4	そうさつ	こうでい	せっきょ	しゅつのう
5	そうさつ	こうに	せっきょ	しゅつのう

問7
check!
□□□

次の熟語の読みとして正しいものの組合わせはどれか。

	脆弱	遊説	稀有	造詣
1	きじゃく	ゆうせつ	きゆう	ぞうけい
2	きじゃく	ゆうぜい	きう	ぞうし
3	きじゃく	ゆうぜつ	けう	ぞうけい
4	ぜいじゃく	ゆうせつ	きゆう	ぞうし
5	ぜいじゃく	ゆうぜい	けう	ぞうけい

問5　正解3

　「おさめる」は常用漢字表に4つの漢字があり、それぞれ次のように使い分ける。

　　修める→習得する。学んで身を正す。（修養。学問を修める。身を修める。）

　　治める→取り仕切る。（政治。領地を治める。）

　　納める→支払う。しまい込む。（納入。納屋。税金を納める。）

　　収める→取り入れる。（収穫。収拾。収録。成果を収める。紛争を収める。目録に収める。）

　「収」は用例が多いので後回しにして「修」「治」を先に決める。

　「いたむ」は常用漢字表に3つの漢字があり、それぞれ次のように使い分ける。

　　痛む→痛みを感じる。（激痛。腰が痛む。懐を痛める。）

　　傷む→傷がつく。傷がもとで腐る。（損傷。果物が傷む。）

　　悼む→人の死を悲しむ。（哀悼。故人を悼む。）

問6　正解2

　相殺→そうさい（相反するものが互いに打ち消し合ってゼロになること）

　拘泥→こうでい（こだわること）

　逝去→せいきょ（人が死ぬことの敬意を含めた言い方）

　出納→すいとう（金銭を出し入れすること）

問7　正解5

　脆弱→ぜいじゃく（もろく、はかないこと）

　遊説→ゆうぜい（自分の意見を説きながら各地を回ること）

　稀有→けう（めったにないこと）

　造詣→ぞうけい（学問・芸術などについての深い知識）

次の記述を読んで、正解を 1 つ選べ。

問8
check!
□□□

次の各組の下線を付けた漢字の書き表し方が 2 つとも正しいものはどれか。

1　兄弟なのに<u>対称</u>的な性格だ —— 人間の体は左右<u>対照</u>ではない

2　幼かりし日を<u>回顧</u>する —— 人生の転機を<u>懐古</u>する

3　<u>厚生</u>年金に加入する —— <u>更正</u>して社会復帰する

4　人事<u>移動</u>に関心を持つ —— 諸本の<u>異同</u>を調べる

5　名画を<u>鑑賞</u>する —— 名月を<u>観賞</u>する

問8　正解5

1 ×　左右が逆になっている。
　　　対称→向かい合って釣り合うこと。図形で用いる。（線対称）
　　　対照→両者を比べて違いが認められること。（比較対照）
　　　対象→目標とするもの。相手。語のうしろに「的」を付けて「対象的」
　　　と使うことはない。（喫煙者を対象とする調査）

2 ×　左右が逆になっている。
　　　回顧→過去を顧みる。（回顧録を書く。）
　　　懐古→昔を懐かしむ。（少年時代を懐古する。）

3 ×　左は正しいが右が誤っている。正しくは「更生」。
　　　厚生→生活を健康で豊かにする。「厚」は手厚い（厚遇。福利厚生。）
　　　更正→1度した登記や申告を訂正する。「更」は改まること（変更。
　　　税金の更正。）
　　　更生→生まれ変わり、立ち直る。（会社更生法の適用を受ける。）

4 ×　右は正しいが左が誤っている。
　　　異動→地位や勤務が変わること。（人事異動。）
　　　異同→相違点。（両者にきわだった異同はない。）

5 ○　左右とも正しい。
　　　鑑賞→芸術作品を見きわめ、味わうこと。（音楽鑑賞。）
　　　観賞→自然物を味わい楽しむ。（熱帯魚を観賞する。）

次の記述を読んで、正解を 1 つ選べ。

問 9
check!
□□□

次の各組の下線を付けた漢字の書き表し方が 2 つとも正しいものはどれか。

1　料金を<u>精算</u>する ―― 借金を<u>清算</u>する
2　試合の<u>態勢</u>は決まった ―― 受入れ<u>体勢</u>を整える
3　失敗の原因を<u>追及</u>する ―― 失敗の責任を<u>追究</u>する
4　相手の能力を<u>保障</u>する ―― 損失を<u>補償</u>する
5　人生の<u>意義</u>を考える ―― 判決に<u>異義</u>を申し立てる

問9　正解1

1○　左右とも正しい。
　　精算→正確に計算すること。（経費を精算する。）
　　清算→帳消しにすること。（借金を清算する。過去を清算する。）

2×　左右とも誤っている。左は「大勢」、右は「態勢」が正しい。
　　態勢→これから起こることへの準備。
　　体勢→身体の姿勢。（不利な体勢を入れ替える。）
　　大勢→大きな成り行き、大体の情勢。（試合の大勢は決まった。）
　　体制→組織のしくみ、制度。（社会主義体制をとる国家。）

3×　左右が逆になっている。
　　追及→罪を犯した人をどこまでも追い詰めること。（責任を追及する。）
　　追究→事実・真理を明らかにしようとすること。研究の「究」である。（原因を追究する。）
　　追求→価値あるものを得ようとしたり、追い求めること。（利潤を追求する。）

4×　右は正しいが左が誤っている。正しくは「保証」。
　　保障→相手の安全や権利を責任を持って守る。（安全保障条約）
　　保証→確かであると請け合う。（身元保証人になる。）
　　補償→相手の損失を埋め合わせる。（被害者への補償）

5×　左は正しいが右が誤っている。正しくは「異議」。
　　意義→意味。価値。（有意義な活動）
　　異議→反対意見。「議」は意見を述べること（議論。抗議。異議申立て）
　　異義→別の意味（反意語は「同義」）。「義」は意味のこと。（同音異義語）

次の記述を読んで、正解を 1 つ選べ。

問 10
check!
□□□

次の各組の下線を付けた漢字の書き表し方が 2 つとも正しいものはどれか。

1　門戸を<u>開放</u>する ── 政策の<u>一貫</u>である
2　業績が<u>激的</u>に向上する ── <u>精魂</u>が尽き果てた
3　<u>口答</u>試問を受ける ── 野菜を<u>促成</u>栽培する
4　<u>後学</u>のために見ておく ── <u>特異</u>な事件を解決する
5　代金は月末に<u>決裁</u>する ── ご<u>厚意</u>に感謝する

問10　正解4

1 ×　左は正しいが右が誤っている。
　　開放→開け放つ意味。（門戸開放。市場開放。運動場を開放する。開放的）
　　解放→解き放ち自由にする意味。（人質の解放。任務から解放される。）
　　一貫→初めから終わりまでの意味。（終始一貫。一貫性）
　　一環→全体のなかの一部分の意味で、鎖の輪である。（〜の一環として。）

2 ×　左右とも誤っている。「激的」は「劇的」の誤り。
　　劇的→ドラマティックの意味。
　　精魂→たましいの意で「精魂を込める」などと用いる。尽きるのは「精根」で根気のこと。

3 ×　右は正しいが左が違っている。「口答」は「口頭」の誤り。
　　口頭→筆記ではなく口で述べること。
　　促成→自然の成長を人工的に促すことであり、短期間で仕上げる意の「速成」と誤らないこと。

4 ○　左右とも正しい。
　　後学→将来自分の役に立つ知識や学問。また、後からその学問を専攻する学者の意である（反意語は「先学」）。同音異義語に「好学」「向学」があるが、前者は学問を好む意で「好学の士」などと用い、後者は学問を志すことで「向学心」などと用いる。
　　特異→特別に異なっていることで、「特異体質」などと用いる。

5 ×　右は正しいが左が誤っている。
　　決裁→権限を持つ者が部下の出した案の可否を決めること。代金の授受を行い売買取引を終了するのは「決済」である。
　　「厚意」は思いやりの気持ち。他人が自分にしてくれたことに関して用いる。「好意」は好感、慕わしい気持ち。

次の記述を読んで、正解を 1 つ選べ。

問 11
check!
☐☐☐

次の各文のうち漢字の用法がすべて正しいものはどれか。

1　自己管理を徹底したので絶好頂だ
2　不偏的な真理の発見に尽力する
3　利用者の照会に回答する
4　以前として苦汁の選択を迫られている
5　余技ない事情で辞職する

問 12
check!
☐☐☐

次の各文のうち漢字の用法がすべて正しいものはどれか。

1　真疑の詳細は明らかではない
2　好天の場合には運動会は順延となる
3　未青年者の犯罪が微増の傾向にある
4　職務の執行を妨害された
5　弁護士が決まるまで黙否権を行使した

問11　正解3

1 × 「絶好調」が正しい。非常に好調ということ。「頂」は「絶頂」で用いる字。「最高潮」のときは「潮」である。

2 × 「普遍的」が正しい。次代や地域にかかわらず当てはまること。「不偏」や「不変」に「的」は付かない。

3 ○ 「照会」は問い合わせること。「回答」は質問に対し返事をすること。「解答」は問題を解くこと。

4 × 「依然として」「苦渋の選択」が正しい。「依然」は前と変わらないさま。「苦汁をなめる」は、苦しい経験をすること。

5 × 「余儀ない」が正しい。ほかに方法がなくしかたないさま。「儀」は作法・手本の意（礼儀・儀式）だが、「～のこと」という意味もある（難儀）。「余技」は専門以外の技能。

問12　正解4

1 × 「真偽」が正しい。真実と虚偽（偽り）のこと。「容疑者」（疑いを容れる）の場合は「疑」である。

2 × 「好天」では順延されないので、意味を考えれば「荒天」が正しい。

3 × 「未成年」が正しい。「青年」は青春期の若い人たち。「成年」は成人のことで、「未成年」は成人に達していない人の意。

4 ○ 「執行」は執り行う。「妨」はさまたげること（妨害）。「防」はふせぐ意味（防衛）。

5 × 「黙秘権」が正しい。「行使」は武力・権利などを実際に用いること。

次の記述を読んで、正解を 1 つ選べ。

問 13
check!
□□□

次の各文のうち漢字の用法がすべて正しいものはどれか。

1　作戦上の失策を責任転嫁する
2　犯人は特長のある容貌をしている
3　潔い最後を遂げた
4　仮空の物語を現実と混同する
5　感概深く来し方をふり返る

問 14
check!
□□□

次の各文のうち漢字の用法がすべて正しいものはどれか。

1　他人が困惑しても全々気に留めない
2　最善の結果に快心の笑みを見せる
3　実力迫仲で互格の戦いをする
4　登壇する前に精心統一する
5　情勢は一刻の猶予もならない

問13　正解1

1○ 「作戦」は戦いをなす。「失策」は計画を失敗する。「責任転嫁」は自分の責任を他人になすりつけること。(嫁のせいにしてしまうことから。)

2× 「特徴」が正しい。「特徴」は目立つ点（徴はしるしの意）。「特長」は優れた点（長所である点）のこと。

3× 「最期」が正しい。「最後」は一番後（最後のチャンス）。「最期」は死ぬ間際（期は仏教ではゴと読む。一期一会）。「遂げる」は最後までやり通すこと（未遂）。「遂」は「つい」とも読む。「逐」は追うという意味（駆逐）。

4× 「架空」が正しい。架空はもともとは空中に架け渡す意で、事実の支えがないこと。

5× 「感慨」が正しい。「概」はおおむね・おおよその意味（概略）。「慨」はなげく・いきどおること（慨嘆・憤慨）。「来（こ）し方」は過去のこと。

問14　正解5

1× 「全然」が正しい。「然」は〜の様子という意味の接尾語（当然＝当り前な様子・必然＝必ずそうなる様子）。「困惑」は困り惑うこと。

2× 「会心」が正しい。「会心」は心にかなうことで、「会心の笑み」は思い通りになったときの笑いである。

3× 「伯仲」「互角」が正しい。「伯仲」は優劣の差がないこと。もともとは伯は兄、仲は弟のことで、兄弟ともに優れていること。「互角」は牛の角が左右で違いがないことからできた言葉。

4× 「精神」が正しい。「神」には神のほかに心という意味がある（失神・神経）。「登壇」は壇上に登ること。

5○ 「情勢」は変化する事態のその時その時の状態。「状勢」とほぼ同義で言い換えられる。「猶予」は実行の日時を先に延ばすこと（執行猶予）。

次の記述を読んで、解答群から正解を 1 つ選べ。

問 15
check!
☐☐☐

A〜Eの熟語の意味が正しいものの組合わせはどれか。

A　傀儡 ── 操り人形。影にいるものに操られ利用されている者

B　軋轢 ── 不和。仲が悪くなること

C　矜持 ── 自分勝手な主張をすること

D　市井 ── 見識が狭い数多くの人々

E　濫觴 ── 勢いの激しいこと

1　AとB
2　BとC
3　BとD
4　CとE
5　DとE

問 16
check!
☐☐☐

A〜Eの熟語の意味が正しいものの組合わせはどれか。

A　批准 ── 国家間の取り決めを破棄すること

B　席巻 ── 領土を次々と征服していくこと

C　斟酌 ── 別れを前にして互いの気持ちを伝えること

D　陶冶 ── 生まれついた性質や才能を育て上げること

E　逆鱗 ── 苦労しながら前進すること

1　AとC
2　AとD
3　BとD
4　BとE
5　CとE

問 15　正解 1

A○　傀儡（かいらい）→操り人形。背後にいるものに操られ利用されている者。「傀儡政権」は、自国民の利益に即さず、外国によって操られている政府。

B○　軋轢（あつれき）→仲が悪くなること。車輪が軋む（きしむ）ことから。

C×　矜持（きょうじ・きんじ）→自分に誇りを持つこと。

D×　市井（しせい）→人家の集まっているところ。町。井戸のあるところに人が集まって住んだことから。

E×　濫觴（らんしょう）→物事の始まり。大河もその源は觴（さかずき）を濫（うか）べるほどの小さな流れであるということから。

問 16　正解 3

A×　批准（ひじゅん）→条約を国家機関が承認し、最終的に確定すること。

B○　席巻（せっけん）→席（むしろ）を巻くかのように、余すところなく征服していくこと。

C×　斟酌（しんしゃく）→相手の事情を汲み取り、手加減すること。「斟」も「酌」も汲むという意味。

D○　陶冶（とうや）→性質や才能を鍛えること。焼物（陶）や鋳物（冶）を作ることから。

E×　逆鱗（げきりん）→目上の人の激しい怒り。龍の顎（あご）の下に一枚逆向きの鱗（うろこ）があり、それに触れると龍が怒るという伝承から。「逆鱗に触れる」のように用いる。

次の記述を読んで、解答群から正解を 1 つ選べ。

問 17
check!
□□□

次の熟語の組合わせのうち、互いに対義語となっていないものはどれか。

1　分析 —— 総合
2　倹約 —— 消費
3　厳格 —— 寛容
4　普遍 —— 特殊
5　創造 —— 模倣

問 18
check!
□□□

次の熟語の組合わせのうち、互いに対義語となっていないものはどれか。

1　粗食 —— 美食
2　平凡 —— 非凡
3　不遇 —— 厚遇
4　被告 —— 原告
5　抽象 —— 具象

問17　正解2　（対義語となっていないものを×とする）

1○　分析→事物を理解するために、その事物を重さ・硬さ・用途などいくつかの要素に分けて、その要素ごとに調べていく方法。
　　総合→個々の要素を1つにまとめて、全体像を理解すること。

2×　対義語としては「倹約⇔浪費」「生産⇔消費」が正しい。

3○　厳格→不正・失敗・怠慢などを許さない厳しい態度。
　　寛容→他人の罪や過失を厳しくとがめないこと。

4○　普遍→いつでも・どこでも・誰にでも当てはまること。
　　特殊→普通のものとは異なり、そのものにだけ当てはまること。

5○　創造→それまでなかったものをはじめて作り出すこと。
　　模倣→すでにあるものをまねること。

問18　正解3　（対義語となっていないものを×とする）

1○　粗食→粗末な食事。「粗」は、おおざっぱ・そまつの意味。（粗雑・粗品）
　　美食→贅沢な食事。「美」は、うまい・よい・うつくしいの意味。（美味・美徳・美貌）

2○　非凡→非常に優れていること。「凡」はありふれていることだが、それに否定辞「非」を付けた「非凡」は、劣ったことではなく優れたことにのみ用いる。

3×　不遇→能力がありながら運が悪くて世間に認められずにいること。
　　厚遇→大切にもてなすこと。優遇。「厚遇・優遇⇔冷遇・薄遇」が正しい。

4○　被告→裁判において訴えられた側。「被」は受身を表わす。（被害）
　　原告→裁判において相手を訴えた側。

5○　抽象→個々の事物をある1つの性質に注目して思考するやり方。（目に見える個々の事物に即していないので分かりにくい。）
　　具象→形を具えていること。（目で見えるので分かりやすい。）「象」はかたちのこと。（象形文字）

次の記述を読んで、解答群から正解を 1 つ選べ。

問 19
check!
□□□

次の四字熟語のうち表記の正しいものの個数を選べ。

① 画竜天晴
② 温古知新
③ 自業自得
④ 無我無中
⑤ 絶対絶命
⑥ 疑信暗鬼

1　1個
2　2個
3　3個
4　4個
5　5個

問19　正解 1

① × 「画竜点睛」（がりょうてんせい）が正しい。「点睛」は瞳（睛）を点（と
も）すこと。絵の名人が龍を描き、最後に瞳を描き入れたところ、
本物の龍となって飛び去ったという故事から。最後の仕上げをする
こと。「画竜点睛を欠く」のように用いる。

② × 「温故知新」が正しい。古いことを研究して、新しい知識を得ること。
「温」はあたためる→ずっと考えること。「故」にはイ．古い（故事）、
ロ．わざと（故意）などの意味があるが、ここでは古いの意。

③ ○ 「自業自得」はこのままで正しい。自分のした行いの報いを自分で
受けること。仏教では「業」はゴウと読む（業が深い・非業の最期）。

④ × 「無我夢中」が正しい。物事に夢中になって我を忘れること。四字
熟語には「□A□B」のような形をしたものが多いが、これは違う。

⑤ × 「絶体絶命」が正しい。書き誤りやすいものの代表であろう。体を絶っ
て命を絶つのである。

⑥ × 「疑心暗鬼」が正しい。疑う心があると何でもないものにまで恐れ
や疑いの気持ちを抱くの意。「疑心暗鬼を生ず」のように用いる。

次の記述を読んで、解答群から正解を 1 つ選べ。

問 20
check!
□□□

次のA～Fの四字熟語それぞれの 2 つの□に、反対の意味を持つ漢字が入るものはいくつあるか。

A　□名□実
B　毀□褒□
C　針□棒□
D　□羅□象
E　□奔□走
F　□衣□縫

1　1個
2　2個
3　3個
4　4個
5　5個

問 21
check!
□□□

次の四字熟語とその意味の組合わせとして、誤っているものはいくつあるか。

A　異口同音 —— 多くの人がみな同じことを言うこと
B　有象無象 —— 物事がはっきりせず、ぼんやりしていること
C　悪事千里 —— 悪い行いはすぐに世間に知れ渡るということ
D　傍若無人 —— 何の遠慮もなくわがまま勝手に振舞うこと
E　不倶戴天 —— 一緒には生きられないほど仲が悪いこと

1　1個
2　2個
3　3個
4　4個
5　5個

問20　正解4

A　反対の語（有・無）が入る。「有名無実」（ゆうめいむじつ）は、名前だけで実質が伴わないこと。

B　反対の語（誉・貶）が入る。「毀誉褒貶」（きよほうへん）は、褒めたりけなされたりすること。毀・貶はけなす（名誉毀損）、誉・褒はほめる（褒美）ことである。

C　反対の語（小・大）が入る。「針小棒大」（しんしょうぼうだい）は、針ぐらいの大きさのことを棒ぐらいの大きさに言うことで、物事を大げさに言いふらすこと。

D　反対の語は入らない。「森羅万象」（しんらばんしょう）は、この宇宙に存在する一切の事物。森羅は樹木が無数に立ち並ぶこと。万象は形あるすべてのもののこと。

E　反対の語（東・西）が入る。「東奔西走」（とうほんせいそう）は、目的を遂げるためにあちこち忙しく走り回ること。奔・走はともに走るの意（奔流）。

F　反対の語は入らない。「天衣無縫」（てんいむほう）は、天女の着物には縫い目がないことから、詩文に技巧の跡が感じられず、自然で完璧な美しさを見せていること。

問21　正解1

A○　「異口同音」（いくどうおん）→違う人の口から同じ言葉が出てくることで、皆が同じ意見を言うこと。「異句」と書き誤らないこと。

B×　「有象無象」（うぞうむぞう）→形のあるものもないものもすべての意から、種々雑多でくだらない連中の意味で用いる。「象」は形という意味（象形文字）。

C○　「悪事千里」（あくじせんり）→善い行いはなかなか世間に知られないが、悪い行いはすぐに知れ渡ってしまうということ。「悪事千里を行く」と用いる。

D○　「傍若無人」（ぼうじゃくぶじん）→「傍（かたわ）らに人なきが若（ごと）し」と訓読し、他人の目を気にせず勝手に振る舞うこと。

E○　「不倶戴天」（ふぐたいてん）→「倶（とも）には天を戴（いただ）かず」と訓読し、憎しみが強くこの世に一緒には生きられないこと。「不倶戴天」「傍若無人」の2つは、前2字と後2字に分けられない。

次の記述を読んで、正解を 1 つ選べ。

問 22
check!
☐☐☐

次のことわざのうち、左右の意味が異なる組合わせを 1 つ選べ。

1　紺屋の白袴 ── 医者の不養生
2　雀百まで踊り忘れず ── 三つ子の魂百まで
3　猫に鰹節 ── 猫に小判
4　馬の耳に念仏 ── 豚に真珠
5　河童の川流れ ── 弘法も筆の誤り

問22　正解3　（意味が異なるものを×とする）

1○　「紺屋の白袴」も「医者の不養生」も、他人のためばかりに忙しく、自分のことには手が回らないこと。類語に「髪結いの乱れ髪」。

2○　「雀百まで踊り忘れず」も「三つ子の魂百まで」も、幼いときに身に付けた習慣は年をとっても変わらないこと。類語に「習い性となる」

3×　「猫に鰹節」は、猫のそばに大好物である鰹節を置くことで、安心できないことのたとえである。一方、「猫に小判」は、どんなに貴重なものでも、その価値が分からない者には何の役にも立たないこと。

4○　「馬の耳に念仏」も「豚に真珠」も、無知なのでためになる話を聞いたり価値のあるものをもらってもその価値が分からず、関心を示さないこと。「馬の耳に念仏」＝「豚に真珠」＝「猫に小判」である。また、「馬の耳に念仏」には、人の忠告に従う気もなく聞き流すという意味もあり、これは「馬耳東風」に同じ。

5○　「河童の川流れ」も「弘法も筆の誤り」も、名人でも失敗することがあるの意。「河童の川流れ」＝「弘法も筆の誤り」＝「猿も木から落ちる」＝「上手の手から水が漏れる」。

次の記述を読んで、解答群から正解を 1 つ選べ。

問23
check!
□□□

次のA～Eのことわざと意味の組合わせのうち、誤っている組合わせはどれか。

A　隗より始めよ　── 遠大な計画もまずは手近なことから始めるべきだ

B　他山の石 ── 自分が誤るのを防ぐ戒めとなる他人の行動

C　魚心あれば水心 ── 自分にふさわしい地位を得て活躍すること

D　情けは人のためならず ── 情けをかけるとかえって相手のためにならない

E　憎まれっ子世にはばかる ── 世間から嫌われていた子にかぎって出世する

1　AとB
2　AとC
3　BとE
4　CとD
5　DとE

問 23　正解 4（誤っているものを×とする）

A○ 「隗より始めよ」は、大きなこともまず手近なことから始めよということ。言い出したものから始めよという意味でも用いる。（隗という人物が、賢者を招きたいなら、まず自分のようなつまらないものをも優遇せよ。そうすればその噂を聞いてより優れた人物があなたのところに集まるだろうと言ったという故事による。）

B○ 「他山の石」は「他山の石、以って玉を攻（おさ）むべし」の前半が独立した語。よその山から取った石ころでも、それを用いて(以って)自分の宝石（玉）を磨く（攻む）ことができる、という意味から。

C× 「魚心あれば水心」（うおごころあればみずごころ）は、対人関係において、一方が他方に好意を持てば、それに応じて他方も好意を持つようになるということ。なお、「水魚の交わり」は、水と魚のように切っても切れない親密な関係をいう。

D× 「情けは人のためならず」は本来、他人に親切にしておくと、めぐりめぐって自分にもよい報いが来るということ。（最近では設問文にあるように、情けをかけると相手が自立しないので、かえって相手のためにならない、と誤解されている。）

E○ 「憎まれっ子世にはばかる」は他人から憎まれる人間に限ってはばをきかせる・はびこるという意味。憚る（＝はばかる。ためらう、遠慮する）ではない。

次の記述を読んで、正解を 1 つ選べ。

問 24
check!
□□□

次のことわざの組合わせのうち、左右の意味が類似でも反対でもなく、無関係なものの組合わせはどれか。

1　大器は晩成す —— 栴檀は双葉より芳し
2　泣きっ面に蜂 —— 弱り目に祟り目
3　濡れ手で粟 —— 漁夫の利
4　寄らば大樹の蔭 —— 鶏口となるも牛後となるなかれ
5　餅は餅屋 —— 良薬は口に苦し

問24　正解5

1　反対である。「大器は晩成す」は大人物は才能を表わすまでに時間がかかるという意味。「栴檀（せんだん）は双葉より芳し」は優れた人は幼い頃から才能を表わすという意味。

2　類似である。「泣きっ面に蜂」「弱り目に祟り目」はどちらも不運に不運が重なること。

3　類似である。「濡れ手で粟（あわ）」は、濡れた手で粟をつかむと粟粒が手についてくることから、苦労せずに利益を得ること。「一攫千金」に近い。一方、「漁夫の利」は、当事者同士が争っている間に、第三者が利益を横取りすることで、ほぼ同義といえる。

4　反対である。「寄らば大樹の蔭」は、頼るならば大きなものに頼るべきだという意。一方、「鶏口となるも牛後となるなかれ」は、大きな集団で低い地位に甘んじているよりも、小さな集団の長になるほうがよいということ。なお、「長いものには巻かれよ」は、勢力のあるものには逆らわずに従っていたほうが得策であるの意で、「寄らば大樹の蔭」とは別物。

5　無関係である。「餅は餅屋」は、餅は餅屋のついたものが一番うまいということで、専門家に任せるのがよいということ。一方、「良薬は口に苦し」は、「論語」の「良薬は口に苦けれども病に利あり、忠言は耳に逆らえども行いに利あり」から出ており、諌めの言葉は聴くに抵抗があるが自分のためになるという意味。

次の記述を読んで、解答群から正解を 1 つ選べ。

問 1
check!
□□□

$x = \dfrac{2-\sqrt{3}}{2+\sqrt{3}}$ 、$y = \dfrac{2+\sqrt{3}}{2-\sqrt{3}}$ のとき、$x^2 - y^2$ の値は次の

うちどれか。

1　$112\sqrt{3}$
2　$-112\sqrt{3}$
3　196
4　-196
5　$144\sqrt{5}$

問 2
check!
□□□

二次関数 $y = x^2 + 2kx + 3k$ の y の値が常に正となるような
k の範囲はどれか。

1　k < − 1、2 < k
2　1 < k < 4
3　k < 1、4 < k
4　0 < k < 3
5　k < 0、3 < k

問 3
check!
□□□

整式 $P(x) = x^3 - 2kx^2 + x + 3k$ が $x - 2$ で割り切れるとき、
定数 k の値は次のうちどれか。

1　0
2　1
3　2
4　3
5　4

問1　正解 2

分母に平方根があるので有理化する。

$$x = \frac{2-\sqrt{3}}{2+\sqrt{3}} = \frac{(2-\sqrt{3})^2}{(2+\sqrt{3})(2-\sqrt{3})} = \frac{4-4\sqrt{3}+3}{4-3} = 7-4\sqrt{3}$$

$$y = \frac{2+\sqrt{3}}{2-\sqrt{3}} = \frac{(2+\sqrt{3})^2}{(2-\sqrt{3})(2+\sqrt{3})} = \frac{4+4\sqrt{3}+3}{4-3} = 7+4\sqrt{3}$$

$$x^2 - y^2 = (x+y)(x-y)$$
$$= \{(7-4\sqrt{3})+(7+4\sqrt{3})\}\{(7-4\sqrt{3})-(7+4\sqrt{3})\}$$
$$= 14 \times (-8\sqrt{3}) = -112\sqrt{3}$$

したがって正解は 2 となる。

問2　正解 4

$y = ax^2 + bx + c$ の y が常に正であるためには、$a > 0$ のとき判別式 $D = b^2 - 4ac$ の D が $D < 0$ となる条件が必要である。

$y = x^2 + 2kx + 3k$ では x^2 の係数 a は 1 であり $a > 0$

このとき、$D = (2k)^2 - 4 \times 1 \times 3k = 4k^2 - 12k < 0$

したがって、$k^2 - 3k < 0$ より $k(k-3) < 0$

よって、k の範囲は $0 < k < 3$ となる。

問3　正解 3

因数定理により、整式 $P(x)$ が $x - a$ を因数に持つとき $P(a) = 0$ を満たす。

したがって、

$P(2) = 2^3 - 2 \times k \times 2^2 + 2 + 3k = 8 - 8k + 2 + 3k = 10 - 5k = 0$

よって $5k = 10$ より

$k = 2$

となる。

次の記述を読んで、解答群から正解を 1 つ選べ。

問 4
check!
□□□

二次関数 $y = -2x^2 + 8x + 2$ において x の変域が $1 \leqq x \leqq 4$ のとき、y の最大値 M、最小値 m の組合わせは次のうちどれか。

1　(M、m) = (10、− 2)
2　(M、m) = (10、5)
3　(M、m) = (5、− 2)
4　(M、m) = (5、2)
5　(M、m) = (10、2)

問 5
check!
□□□

$\sin\theta + \cos\theta = \sqrt{2}$ のとき、$\sin\theta\cos\theta$ の値は次のうちどれか。

1　$\dfrac{1}{2}$　　2　$\dfrac{3}{7}$

3　$\dfrac{\sqrt{3}}{2}$　　4　$\dfrac{\sqrt{5}}{3}$

5　1

問 6
check!
□□□

袋のなかに、赤玉 5 個と白玉 3 個が入っている。このなかから同時に 2 個の玉を取り出すとき、2 個の玉が同じ色になる確率は次のうちどれか。

1　$\dfrac{1}{2}$　　2　$\dfrac{1}{4}$

3　$\dfrac{2}{7}$　　4　$\dfrac{5}{14}$

5　$\dfrac{13}{28}$

問4　正解5

二次関数 $y = a(x-p)^2 + q$ において $a < 0$ のとき最大値は $(p、q)$ となり、$a > 0$ のとき最小値は $(p、q)$ となる。$y = a(x-p)^2 + q$ の形になるように式を変形すると、

$y = -2x^2 + 8x + 2 = -2(x^2 - 4x) + 2$
$= -2\{(x-2)^2 - 4\} + 2 = -2(x-2)^2 + 10$

$-2 < 0$ なので上に凸のグラフとなり最大値は $x = 2$ のとき、$y = 10$ となる。最小値は $x = 4$ のときで $y = -2(x-2)^2 + 10$ に $x = 4$ を代入すると $y = 2$ となる。

問5　正解1

両辺を二乗し、$\sin\theta\cos\theta$ の形を作る。$(\sin\theta + \cos\theta)^2 = (\sqrt{2})^2$
$\sin^2\theta + 2\sin\theta\cos\theta + \cos^2\theta = 2$
ここで $\sin^2\theta + \cos^2\theta = 1$ なので、$1 + 2\sin\theta\cos\theta = 2$

よって $\sin\theta\cos\theta = \dfrac{1}{2}$ となる。

問6　正解5

玉の取り出し方は全部で ${}_8C_2 = \dfrac{8 \times 7}{2 \times 1} = 28$ 通り。

赤2個の選び方は ${}_5C_2 = \dfrac{5 \times 4}{2 \times 1} = 10$ 通りで、

白2個の選び方は ${}_3C_2 = \dfrac{3 \times 2}{2 \times 1} = 3$ 通りである。

2個の玉が同じ色になるのは赤2個または白2個なので $10 + 3 = 13$ 通り。

この確率は $\dfrac{13}{28}$ となる。

次の記述を読んで、解答群から正解を1つ選べ。

問7
check!
☐☐☐

第4項が24、第6項が96である等比数列について一般項は次のうちどれか。ただし、公比は正とする。

1　$a_n = 3 \cdot 2^{n-1}$
2　$a_n = 3 \cdot 4^{n-1}$
3　$a_n = 4 \cdot 2^{n-1}$
4　$a_n = 4 \cdot 3^{n-1}$
5　$a_n = 5 \cdot 2^{n-1}$

問8
check!
☐☐☐

三角形 ABC において $B = 60°$、$a = 3$、$c = 6$ のとき b の長さは次のうちどれか。

1　2
2　4
3　$3\sqrt{2}$
4　$3\sqrt{3}$
5　$2\sqrt{5}$

問9
check!
☐☐☐

下図の $y = x^2$、$y = x + 6$ で囲まれたグレー部分の面積は次のうちどれか。

1　9
2　12
3　15
4　$4\sqrt{3}$
5　$5\sqrt{2}$

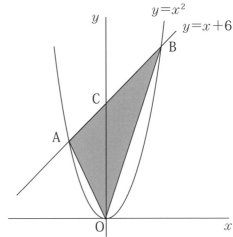

問7　正解 1

初項が a、公比が r の等比数列の第 n 項を a_n とすると一般項 a_n は $a_n = ar^{n-1}$ である。

第4項：$ar^3 = 24$　……①

第6項：$ar^5 = 96$　……②

②÷①＝$r^2 = 96 \div 24 = 4$

よって $r = 2$ となり、①に $r = 2$ を代入すると $a = 3$ となる。したがって一般項 $a_n = 3 \cdot 2^{n-1}$ となる。

問8　正解 4

余弦定理 $b^2 = a^2 + c^2 - 2ac\cos B$ を用いる。

$b^2 = 3^2 + 6^2 - 2 \cdot 3 \cdot 6\cos 60°$

$= 9 + 36 - 36 \times \dfrac{1}{2}$

$= 27$

b は正となるので $b = 3\sqrt{3}$

問9　正解 3

まず $y = x^2$ と $y = x + 6$ の交点を求める。連立して解くと

$x^2 = x + 6$

$x^2 - x - 6 = 0$

$(x - 3)(x + 2) = 0$

したがって交点は B $(3、9)$、A $(-2、4)$ となる。

△ABO を y 軸で分け△AOC と△BOC にする。C の座標は $y = x + 6$ の切片が6であるので、$(0、6)$ である。このとき辺 OC をそれぞれの三角形の底辺とすると高さは A、B の x 座標に当たるので △ABO ＝△AOC ＋△BOC ＝ $6 \times 2 \div 2 + 6 \times 3 \div 2 = 15$ となる。

次の記述を読んで、解答群から正解を 1 つ選べ。

問 10
check!
□□□

連立不等式 $\{2x + 3 > 6、-3x + 21 \geqq 6\}$ を同時に満たす整数 x はいくつあるか。

1　0
2　1
3　2
4　3
5　4

問 11
check!
□□□

$x^2 - 7x + 10 \geqq 0$ の解はどれか。

1　$x \leqq 2、5 \leqq x$
2　$2 \leqq x \leqq 5$
3　$x \leqq -2、5 \leqq x$
4　$-2 \leqq x \leqq 5$
5　$x \leqq -2、7 \leqq x$

問 12
check!
□□□

1 から 50 までの自然数の和は次のうちどれか。

1　625
2　1250
3　1275
4　2550
5　5050

問10　正解5

$2x + 3 > 6$ より $x > \dfrac{3}{2}$、$-3x + 21 \geqq 6$ より $x \leqq 5$ となる。これを
同時に満たす x の範囲は

$\dfrac{3}{2} < x \leqq 5$ である。よって整数は2、3、4、5の4個となる。

問11　正解1

$ax^2 + bx + c \geqq 0$ を満たす x の値の範囲を求めるには $y = ax^2 + bx + c$ において $y \geqq 0$ を満たす x の範囲を求める。二次方程式
$x^2 - 7x + 10 = 0$ を解くと、
$(x - 2)(x - 5) = 0$ より
$x = 2$、5
したがって $x^2 - 7x + 10 \geqq 0$ の解は、$x \leqq 2$、$5 \leqq x$ となる。

問12　正解3

1 から 50 までの和を S とすると
S $= 1 + 2 + 3 + \cdots\cdots + 48 + 49 + 50$　……①
次に足す順番を逆にすると
S $= 50 + 49 + 48 + \cdots\cdots + 3 + 2 + 1$　……②
①＋②を考え、

$$
\begin{array}{r}
S = 1 + 2 + 3 + \cdots\cdots + 48 + 49 + 50 \\
+)\ \underline{S = 50 + 49 + 48 + \cdots\cdots + 3 + 2 + 1} \\
2S = 51 + 51 + 51 + \cdots\cdots + 51 + 51 + 51
\end{array}
$$

51 が 50 個あるので $2S = 51 \times 50 = 2550$
したがって S $= 2550 \div 2 = 1275$ となる。初項 a、末項 l の等差
数列の初項から第 n 項までの和 S は S $= n(a + l) \div 2$　となる。

数学

次の記述を読んで、解答群から正解を 1 つ選べ。

問 13
check!
□□□

関数 $y = x^2 - 6x + 12$ のグラフを x 軸方向に -2、y 軸方向に 3 だけ平行移動したグラフを表わす関数は次のうちどれか。

1　$x^2 - 4x + 9$
2　$x^2 + 3x + 9$
3　$x^2 - 3x + 9$
4　$x^2 + 2x + 7$
5　$x^2 - 2x + 7$

問 14
check!
□□□

$x^2 - 6x + 9 - 4y^2$ を因数分解したものはどれか。

1　$(x + 2 + 2y)(x + 2 - 2y)$
2　$(x - 3 + 2y)(x - 3 - 2y)$
3　$(x + 3 + 2y)(x + 3 - 2y)$
4　$(x - 4 + y)(x - 4 - y)$
5　$(x + 4 + y)(x + 4 - y)$

問 15
check!
□□□

第 2 項が 13、第 6 項が 33 である等差数列が、初めて 100 を超えるのは第何項か選べ。

1　第 18 項
2　第 19 項
3　第 20 項
4　第 21 項
5　第 22 項

問13　正解5

関数 $y = \mathrm{f}(x)$ のグラフを x 軸方向に p、y 軸方向に q だけ平行移動したグラフを表わす関数は $y = \mathrm{f}(x - p) + q$ と表わされる。

ここで $\mathrm{f}(x - p)$ は $\mathrm{f}(x)$ の x に $x - p$ を代入したもので、

$\mathrm{f}(x - p) = (x - p)^2 - 6(x - p) + 12$ である。

$p = -2$、$q = 3$ を代入すると平行移動したグラフは、

$$y = (x + 2)^2 - 6(x + 2) + 12 + 3$$
$$= x^2 + 4x + 4 - 6x - 12 + 15$$
$$= x^2 - 2x + 7 \quad となる。$$

問14　正解2

$x^2 - 6x + 9 - 4y^2 = (x - 3)^2 - 4y^2$

ここで $a^2 - b^2 = (a + b)(a - b)$ であり、$x - 3 = \mathrm{A}$ と置くと、

$x^2 - 6x + 9 - 4y^2 = \mathrm{A}^2 - 4y^2$

$\quad = (\mathrm{A} + 2y)(\mathrm{A} - 2y)$

$\quad = (x - 3 + 2y)(x - 3 - 2y) \quad となる。$

問15　正解3

一般項を a_n とすると、初項 a, 公差 d の等差数列の第 n 項 a_n は、

$a_n = a + (n - 1)d$ と表わされるので、

$a_2 = a + (2 - 1)d = a + d = 13 \quad \cdots\cdots①$

$a_6 = a + (6 - 1)d = a + 5d = 33 \quad \cdots\cdots②$

②－①より　$4d = 20 \quad d = 5$、$a = 8$

したがって $a_n = 8 + 5(n - 1) = 5n + 3$

$a_n > 100$ より $5n + 3 > 100$ を解くと $n > \dfrac{97}{5} = 19.4$ となる。

n は自然数なので $n \geqq 20$ であり、第 20 項となる。

次の記述を読んで、解答群から正解を 1 つ選べ。

問 16
check!
□□□

$b = 4$、$c = 6$、A $= 135°$ である三角形 ABC の面積は次のうちどれか。

1　$4\sqrt{3}$

2　$4\sqrt{2}$

3　$6\sqrt{3}$

4　$6\sqrt{2}$

5　$12\sqrt{3}$

問 17
check!
□□□

A $= 30°$、$a = 6$ のとき外接円の半径 R は次のうちどれか。

1　5
2　6
3　7
4　8
5　9

問 18
check!
□□□

次の図において $\ell // m // n$ のとき x の値は次のうちどれか。

1　13
2　14
3　15
4　16
5　17

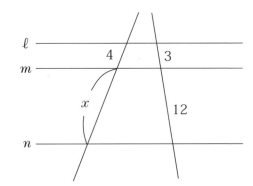

問16　正解4

三角形の面積は2辺とその間の角が分かっているとき、面積をSとすると、

$$S = \frac{1}{2}bc\sin A = \frac{1}{2}ca\sin B = \frac{1}{2}ab\sin C \text{ と書ける。}$$

この式に代入すると、

$$S = \frac{1}{2} \times 4 \times 6 \times \sin 135° = 6\sqrt{2} \text{ となる。ここで} \sin 135° = \frac{\sqrt{2}}{2} \text{ である。}$$

問17　正解2

外接円の半径に関する問題は正弦定理で解く。

$$\frac{a}{\sin A} = \frac{b}{\sin B} = \frac{c}{\sin C} = 2R \text{ より A } = 30°, a = 6 \text{ なので代入すると、}$$

$$R = \frac{a}{\sin A} \times \frac{1}{2} = 6 \times 2 \times \frac{1}{2} = 6 \text{ となる。}$$

問18　正解4

図のように3直線が平行のとき、AB : BC = A′B′ : B′C′ となる。
よって 4 : x = 3 : 12
$3x = 4 \times 12$ より $x = 16$ となる。

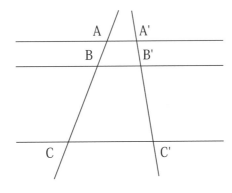

次の記述を読んで、解答群から正解を 1 つ選べ。

問 19
check!
□□□

図のように∠ACB ＝ 35°のとき、∠ABO の値は次のうちどれか。

1　35°
2　40°
3　45°
4　50°
5　55°

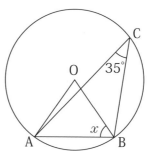

問 20
check!
□□□

図のように円に接線 T を引き、その接点を A とする。
∠ABC ＝ 68°、∠ACB ＝ 42°のとき∠BAT の大きさは次のうちどれか。

1　40°
2　42°
3　45°
4　47°
5　50°

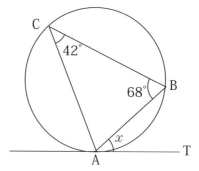

問 19　正解 5

図のように同じ弧に対する円周角の大きさは等しく、∠ACB = ∠ADB となる。

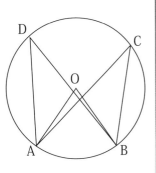

また、1 つの弧に対する中心角（∠AOB）は一定で、中心角（∠AOB）の半分が円周角（∠ACB）となる。

∠ACB = $\dfrac{1}{2}$ ∠AOB　これらを円周角の定理という。

問題では∠ACB = 35°なので

∠ACB = $\dfrac{1}{2}$ ∠AOB より

∠AOB = 2 ×∠ACB = 70°

また三角形 AOB は半径が等しいので二等辺三角形となり、

∠BAO = ∠ABO、∠ABO + ∠BAO + 2∠ACB = 180°

2∠ABO = 180° − 2∠ACB

∠ABO = $\dfrac{180° - 70°}{2}$

したがって∠ABO = 55°となる。

問 20　正解 2

この問題は接弦定理に関する問題である。

弦 AB と接線が作る∠BAT の大きさは弧 AB が作る円周角と等しい。したがって、∠BAT = ∠ACB = 42°となる。

数学

次の記述を読んで、解答群から正解を 1 つ選べ。

問 21
check!
□□□

7 本のくじのなかに 2 本の当たりくじが入っている。このくじを同時に 3 本引くとき少なくとも 1 本当たる確率は次のうちどれか。

1　$\dfrac{2}{7}$

2　$\dfrac{3}{7}$

3　$\dfrac{4}{7}$

4　$\dfrac{5}{7}$

5　$\dfrac{6}{7}$

問 22
check!
□□□

2 次方程式 $x^2 - 4x - 4 = 0$ の 2 つの解を α、β とするとき $\alpha^2 + \beta^2$ の値は次のうちどれか。

1　20
2　22
3　24
4　26
5　28

問21　正解 4

少なくとも 1 本当たる事象の確率を A、1 本も当たらない事象（余事象）の確率 $\overline{A}$ とすると
A $= 1 - \overline{A}$ で求められる。
$\overline{A}$ は

$$\overline{A} = \frac{7本から当たり2本を除いた3本を引く場合の数}{7本から3本を引く場合の数}$$

であり、$\overline{A} = \frac{{}_5C_3}{{}_7C_3} = \frac{2}{7}$　よって A $= 1 - \frac{2}{7} = \frac{5}{7}$ となる。

このように「少なくとも」という言葉が出てきたら余事象から求めると簡単に求められることが多い。

問22　正解 3

2 次方程式 $ax^2 + bx + c = 0$ の 2 つの解を α、β とするとき、解と係数の関係は

$$\alpha + \beta = -\frac{b}{a}、\ \alpha\beta = \frac{c}{a} となる。$$

よって $\alpha + \beta = -\frac{b}{a} = 4$、$\alpha\beta = \frac{c}{a} = -4$ なので

$$\alpha^2 + \beta^2 = (\alpha + \beta)^2 - 2\alpha\beta = 4^2 - 2 \times (-4) = 16 + 8 = 24$$
となる。

次の記述を読んで、解答群から正解を 1 つ選べ。

問 23
check!
□□□

放物線 $y = x^2 + 4x + 10$ を平行移動して、放物線 $y = x^2 - 2x + 3$ に重ねるには、どのように移動すればよいか。次のうちから選べ。

1　x 軸方向に 3、y 軸方向に－ 4
2　x 軸方向に 2、y 軸方向に－ 3
3　x 軸方向に 1、y 軸方向に－ 2
4　x 軸方向に 0、y 軸方向に－ 1
5　x 軸方向に－ 1、y 軸方向に 0

問 24
check!
□□□

図において円 O は角 C = 90° の直角三角形 ABC に内接している。AC = 12、BC = 5 のとき内接円 O の半径は次のうちどれか。

1　1
2　$\sqrt{2}$
3　$\sqrt{3}$
4　2
5　3

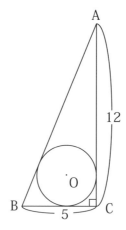

問23　正解 1

x^2 の係数が等しいのでグラフは重なる。

$y = x^2 + 4x + 10 = (x+2)^2 - 4 + 10 = (x+2)^2 + 6$ と変形
でき、頂点は $(-2, 6)$

$y = x^2 - 2x + 3$ を変形すると

$y = x^2 - 2x + 3 = (x-1)^2 - 1 + 3 = (x-1)^2 + 2$　頂点は $(1, 2)$

$(-2, 6) \rightarrow (1, 2)$ に移動するためには x 軸方向に 3、y 軸方向に -4
ずらせばよい。

問24　正解 4

円の半径を r とする。

三平方の定理より $AB^2 = BC^2 + AC^2 = 5^2 + 12^2 = 169$

よって AB = 13　また、三角形 ABC の面積 $= \dfrac{1}{2} \times 5 \times 12 = 30$

次に円の接線は接点を通る半径に垂直なので、三角形 ABC を三角
形 ABO、三角形 BCO、三角形 ACO の 3 つに分けると、接点と円の
中心を結ぶ線 r はそれぞれの三角形の高さに相当する。

三角形 ABC ＝三角形 ABO ＋三角形 BCO ＋三角形 ACO

$$= \dfrac{1}{2} \times 13 \times r + \dfrac{1}{2} \times 5 \times r + \dfrac{1}{2} \times 12 \times r$$

$$= \dfrac{1}{2} \times r \, (13 + 5 + 12) = 15r$$

三角形 ABC の面積は 30 なので

$15r = 30$　r = 2 となる。

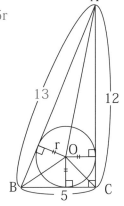

次の記述を読んで、解答群から正解を 1 つ選べ。

問 25
check!
☐☐☐

$x \geqq 0$ のとき $\sqrt{1+x}$ と $1+\dfrac{x}{2}$ の大小関係は次のうちどれか。

1　$\sqrt{1+x} \leqq 1+\dfrac{x}{2}$

2　$\sqrt{1+x} < 1+\dfrac{x}{2}$

3　$\sqrt{1+x} \geqq 1+\dfrac{x}{2}$

4　$\sqrt{1+x} > 1+\dfrac{x}{2}$

5　$\sqrt{1+x} = 1+\dfrac{x}{2}$

問 26
check!
☐☐☐

図のグレー部分の面積は次のうちどれか。ただし、円周率は π とする。

1　3π
2　$2+2\pi$
3　$4+4\pi$
4　$16-2\pi$
5　$16-4\pi$

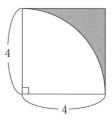

問 27
check!
☐☐☐

x、y が次の 2 つの条件を満たすとき、$x+y$ の最大値は次のうちどれか。

$$y - x \leqq 1$$
$$2x + y - 4 \leqq 0$$

1　1
2　2
3　3
4　4
5　5

問25　正解 1

$x \geqq 0$ のとき $\sqrt{1+x} > 0$、$1 + \dfrac{x}{2} > 0$

$$(1 + \dfrac{x}{2})^2 - (\sqrt{1+x})^2 = 1 + x + \dfrac{x^2}{4} - (1+x)$$

$$= \dfrac{x^2}{4} \geqq 0$$

したがって $\sqrt{1+x} \leqq 1 + \dfrac{x}{2}$

問26　正解 5

一辺 4 の正方形の面積から半径 4 の円の面積の $\dfrac{1}{4}$ を引けば求める面積となる。

円の面積は半径を r とすると πr^2 であるので、

グレー部分の面積 $= 4^2 - 4^2 \pi \times \dfrac{1}{4} = 16 - 4\pi$ となる。

問27　正解 3

式を変形するとそれぞれ、$y \leqq x + 1$、$y \leqq -2x + 4$
不等式 $y > \mathrm{m}x + \mathrm{n}$ を表わす領域は直線 $y = \mathrm{m}x + \mathrm{n}$ の上側で、$y < \mathrm{m}x + \mathrm{n}$ を表わす領域は直線 $y = \mathrm{m}x + \mathrm{n}$ の下側となり、図示すると次のようになる。この問題では $\leqq$ であるので境界も含む。

$x + y = \mathrm{k}$ と置くと $y = -x + \mathrm{k}$ なので傾き -1 の直線の切片 k が最大となるものを求める。これは $y = x + 1$、$y = -2x + 4$ の交点を通るときであり、連立して解くと $(x、y) = (1、2)$ の点である。
$\mathrm{k} = x + y$ に代入すると
$\mathrm{k} = 1 + 2 = 3$ となる。

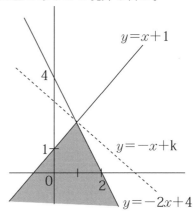

次の記述を読んで、解答群から正解を１つ選べ。

問 1
check!
☐☐☐

☐■☐ 45 ÷ ☐☐ = 273　の■に入る数字は次のどれか。

1　0
2　1
3　4
4　6
5　7

問1　正解5

　本問では余りもなく、また割っていく途中の経過も分からないので、与式を積の形に直して考える。

　与式を、273×□□=□■□45と書き直し、（Ⅰ）のように空欄 ⓐ ～ ⓜ を定める。ⓕ ＝5であるから、ⓑ ×3の一の位は5にならなければならず、ⓑ ＝5と決定できる。

ⓑ ＝5により計算できるところを書き入れると（Ⅱ）のようになり、6＋ⓙ の一の桁が4なので、ⓙ ＝8と分かる。すると ⓐ ×3の一の位が8にならなければならず、ⓐ ＝6と決定できる。

これを計算して（Ⅲ）、ⓛ ＝7と分かる。

（Ⅰ）

```
          2  7  3
×        ⓐ  ⓑ
      ⓒ  ⓓ  ⓔ  ⓕ
   ⓖ  ⓗ  ⓘ  ⓙ
   ⓚ  ⓛ  ⓜ  4  5
```

（Ⅱ）

```
          2  7  3
×        ⓐ  5
      1  3  6  5
   ⓖ  ⓗ  ⓘ  ⓙ
   ⓚ  ⓛ  ⓜ  4  5
```

（Ⅲ）

```
          2  7  3
×         6  5
      1  3  6  5
   1  6  3  8
   1  7  7  4  5
```

（注）ⓒ ⓖ は数字があるかどうか分からないことを示す。

なお、虫食い算は次のように計算の過程が示されていることが多い。

```
              □ 4 □
    2 □ ) 8 □ 1 □
          □ 2
          1 1 □
            □ 6
            □ 5 □
            1 4 4
                1 3
```

（解　8317 ÷ 24 ＝ 346…13）

数的推理

次の記述を読んで、解答群から正解を１つ選べ。

問2
check!
☐☐☐

下の図は10進法で書かれた１〜５を、２進法（上列）と３進法（下列）の考え方で示したものである。Xに対応するものを選べ。

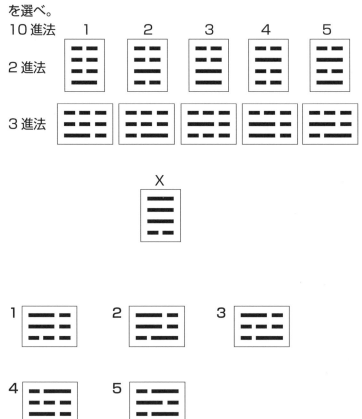

問2　正解2

n 進法は n を単位に桁が繰り上がっていくもので、例えば、2進法で表わされた1011、3進法で表わされた102は、10進法に直すと

桁	2^3	2^2	2^1	2^0		桁	3^2	3^1	3^0
2進法	1	0	1	1		3進法	1	0	2

10進法 $8 \times 1 + 4 \times 0 + 2 \times 1 + 1 \times 1 = 11$　10進法 $9 \times 1 + 3 \times 0 + 1 \times 2 = 11$
となる。

10進法の 1、2、3、4、5、は2進法では、
$1 \to 8 \times 0 + 4 \times 0 + 2 \times 0 + 1 \times 1 \to 1$
$2 \to 8 \times 0 + 4 \times 0 + 2 \times 1 + 1 \times 0 \to 10$
$3 \to 8 \times 0 + 4 \times 0 + 2 \times 1 + 1 \times 1 \to 11$
$4 \to 8 \times 0 + 4 \times 1 + 2 \times 0 + 1 \times 0 \to 100$
$5 \to 8 \times 0 + 4 \times 1 + 2 \times 0 + 1 \times 1 \to 101$
のように表わされ、3進法では同様にして
$1 \to 1$、$2 \to 2$、$3 \to 10$、$4 \to 11$、$5 \to 12$
のように表わされる。

このことから問題の2進法の図では、各4段の下から 2^0、2^1、2^2、2^3 に対応し、━━は0を、━━━は1を表わしていると考えられる。

Xは2進法の図で

$$
\begin{array}{ll}
2^3 \times 1 = 8 \\
2^2 \times 1 = 4 \\
2^1 \times 1 = 2 \\
2^0 \times 0 = 0
\end{array}
$$

であるから、14を表わす。

3進法の図では、同じようにして ━━━が0、━━━が1、━━━が2だと考えられる。

10進法の14は、$3^2 \times 1 + 3^1 \times 1 + 3^0 \times 2$ より3進法では112であるから、図では次のように表わされる。

$$
\begin{array}{l}
1 \to 3^2 \times 1 \\
1 \to 3^1 \times 1 \\
2 \to 3^0 \times 2
\end{array}
$$

以上より、求めるものは2である。

数的推理

次の記述を読んで、解答群から正解を1つ選べ。

問3
check!
□□□

ある学校で国語と英語の試験をした。その結果は、国語と英語の両方に合格したものは全体の $\frac{5}{6}$、国語と英語の両方が不合格になったものは全体の $\frac{1}{8}$ で、英語の不合格者は 17 人であった。全体の人数は何人か。

1　102人
2　120人
3　136人
4　158人
5　170人

問3　正解2

　　まず、ベン図を書き、各領域の人数を文字で表わす。その際、条件が3つだけなので、なるべく少ない文字で条件を表わす。そのうえで自然数の条件を利用して可能性をしぼっていく。

　　全体の人数をxとし、各領域の人数を書き入れる。

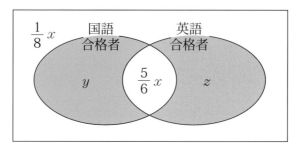

英語の不合格者は17人であるから

$$\frac{1}{8}x + y = 17 \qquad \therefore x + 8y = 136 \quad \cdots\cdots①$$

また、「英語の合格者＝全体 − 英語の不合格者」であるから

$$\frac{5}{6}x + z = x - 17 \qquad \therefore x = 6z + 102 \quad \cdots\cdots②$$

②を①に代入して
$$6z + 102 + 8y = 136 \quad \therefore 4y + 3z = 17 \quad \cdots\cdots③$$
ここで③を満たす人数（自然数）の組を探すと

y	1	2	3	4
z	×	3	×	×

$y = 2$、$z = 3$の組しか存在しないので、②より
$x = 120$人である。

次の記述を読んで、解答群から正解を１つ選べ。

問4

３つの自然数 a、b、c があり、a × b ＝ 234、b × c ＝ 378、c × a ＝ 273 である。c はいくつか。

1 8
2 12
3 17
4 21
5 26

問4　正解4

　　積の形になっているので、素因数分解することを考える。その後、a, b, c の各々を求めるが、3つの数が2つずつ組み合わされているときは、すべて合わせたものを考えると楽である。

　　たとえば「$a+b=52$、$b+c=63$、$c+a=45$ のとき、a の値を求めよ。」というような問題では、3つの式をすべて足して、$a+b+c$ を作る。

$(a+b)+(b+c)+(c+a)=52+63+45$

$\therefore 2(a+b+c)=160$

$\therefore a+b+c=80$

としたうえで、$a=(a+b+c)-(b+c)=80-63=17$

のようにして求める。

$a\times b=234=2\times3\times3\times13$　……①

$b\times c=378=2\times3\times3\times3\times7$　……②

$c\times a=273=3\times7\times13$　……③

①×②×③を計算すると、

左辺は、$(a\times b)\times(b\times c)\times(c\times a)=(a\times b\times c)^2$

右辺は、$(2\times3\times3\times13)\times(2\times3\times3\times3\times7)\times(3\times7\times13)$

$\qquad=2\times2\times3\times3\times3\times3\times3\times3\times7\times7\times13\times13$

$\qquad=(2\times3\times3\times3\times7\times13)^2$

　　よって、$a\times b\times c=2\times3\times3\times3\times7\times13$

ここで c は、

$$c=\frac{a\times b\times c}{a\times b}=\frac{\cancel{2}\times\cancel{3}\times\cancel{3}\times3\times7\times\cancel{13}}{\cancel{2}\times\cancel{3}\times\cancel{3}\times\cancel{13}}=21$$

次の記述を読んで、解答群から正解を1つ選べ。

問5
check!
□□□

リンゴが 52 個、ミカンが 79 個、バナナが 97 個ある。これらの果物を何人かの子どもたちに同じ個数ずつ分けたところ、どの果物も同じ個数ずつ余った。何個ずつ余ったか。ただし子どもの人数は 4 人以上であった。

1　4個
2　5個
3　6個
4　7個
5　8個

問5　正解 4

　余りが何個なのか分からないので、解けそうもなく思われるが、どの果物も同じ個数ずつ余ったことに着目すると、うまくいく。

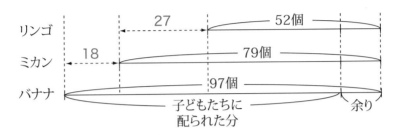

　ミカンとリンゴの差は 79 − 52 = 27 個であるが、この引き算により余りの部分が相殺されているので、27 は子どもの人数でちょうど分けることができる数である。

　また、バナナとミカンの差は 97 − 79 = 18 個で、これも余りの部分が相殺されているので、18 は子どもの人数でちょうど分けることができる数である。

　27 と 18 を割ることのできる数（公約数）は、1、3、9 であるが、子どもは 4 人以上であるので、人数は 9 人と分かる。

　そこで、52、79、97 をそれぞれ 9 で割ると、どの果物も余りが 7 であることが分かる（27 ÷ 9、18 ÷ 9 は、ミカンはリンゴより 3 個多く、バナナはミカンより 2 個多く配っていたことを示している）。

次の記述を読んで、解答群から正解を1つ選べ。

問6
check!
□□□

a%の食塩水 A と b%の食塩水 B を 1:2 の割合で混ぜると 9%の食塩水となり、食塩水 A と食塩水 B を 5:1 の割合で混ぜると 6%の食塩水になる。食塩水 A、食塩水 B はそれぞれ何%の食塩水か。

1　食塩水 A ── 5%　　食塩水 B ── 12%
2　食塩水 A ── 4%　　食塩水 B ── 10%
3　食塩水 A ── 5%　　食塩水 B ── 11%
4　食塩水 A ── 4%　　食塩水 B ── 12%
5　食塩水 A ── 3%　　食塩水 B ── 15%

問6　正解3

　　濃度の問題には「天秤算」と呼ばれる簡便な方法がある。

a%の食塩水 A と b%の食塩水 B を、$x:y$ の割合で混ぜて c%になったことを、下のような釣合いの図で表わす。（食塩水 A の量が多ければ多いほど、混合物の濃度はaに近くなるはずだから、cが左へ移動し、b c 間の距離 x は大きくなる。）

この図で b − c = x、c − a = y であるから、

$x:y = (b − c):(c − a)$ となる。なお、これを解くと

$c = \dfrac{ax + by}{x + y}$ となる。

　　いま、問題の2つの条件を図示すると、

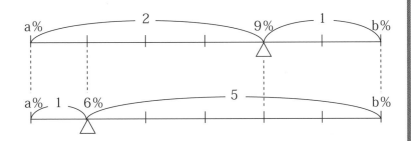

$$\begin{cases} (9 − a):(b − 9) = 2:1 \\ (6 − a):(b − 6) = 1:5 \end{cases}$$

これを解いて

$$\begin{cases} a + 2b = 27 \\ 5a + b = 36 \end{cases} \text{より} \qquad \begin{cases} a = 5\% \\ b = 11\% \end{cases} \text{である。}$$

数的推理

次の記述を読んで、解答群から正解を1つ選べ。

問7
check!
□□□

A、B2つの水道管と、排水管Cの付いているタンクがある。Cが閉じられているとき、水道管Aだけから水を入れると6時間で満杯となり、水道管Bだけから水を入れると3時間で満杯となる。また満杯の水は、排水管Cを開くと8時間でなくなる。

いま、タンクが空の状態から、排水管Cを開いたまま、最初はAB両方で30分間注水し、次にAを閉じてBだけで30分間注水する。これを繰り返していくとき、タンクに水が満杯となるのはいつか。

1　2時間40分後
2　3時間後
3　3時間20分後
4　3時間40分後
5　4時間後

問7　正解3

　　タンクの容量を基準にして、時間当たりのA、Bの注入量、Cの排出量を考える。それぞれが単位時間当たり全体の仕事の何分の1を行うかを考えるものを「仕事算」という。

　　タンクの容量をVとする。水道管Aは6時間でタンクを満杯にするのだから、1時間で全体の$\frac{1}{6}$の量を注入する。同様に、水道管Bは$\frac{1}{3}$の量を注入し、排水管Cは$\frac{1}{8}$の量を排出する。

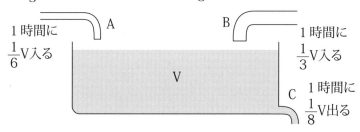

　　A、B、Cすべてを開いた場合

1時間で$\frac{1}{6}V + \frac{1}{3}V - \frac{1}{8}V = \frac{9}{24}V$　タンクに水が増加するので、30分では$\frac{9}{48}V$　増加する。

　　Aを閉じ、B、Cを開いた場合

1時間で$\frac{1}{3}V - \frac{1}{8}V = \frac{5}{24}V$　タンクに水が増加するので、30分では$\frac{5}{48}V$増加する。

これを繰り返していくとき、タンクの水は下のように増える。

時間	30分	60分	……	180分	(210分)
量	$\frac{9}{48}V$	$\frac{14}{48}V$	……	$\frac{42}{48}V$	$(\frac{51}{48}V)$

　　これより180分入れた後、さらに$\frac{6}{48}V$だけ加えればよい。180分〜210分までの間は30分当たり$\frac{9}{48}V$加える番なので、$\frac{6}{48}V$は20分に相当し、入れ始めからは200分後に満杯となる。

次の記述を読んで、解答群から正解を1つ選べ。

問8
check!
□□□

1個280円の品物を1025個仕入れ、これに25%増しの定価を付けた。しかし、この1025個のなかに25個の不良品が見付かり、最初から定価を割り引いて売り出すことにした。損をしないで売るためには、何%まで割り引くことができるか。ただし、1個につき原価の10%の販売費用がかかるものとする。

　1　7%
　2　8%
　3　10%
　4　12%
　5　15%

解答・解説

数的推理

問8　正解3

　書かれている通りに立式して解くだけだが、要領よく計算したい。

x%増えるときには $\dfrac{100+x}{100}$ を掛け、x%減るときには $\dfrac{100-x}{100}$ を掛ける。

仕 入 値　280 円	仕入数　1025
定　　　価　$280 \times \dfrac{125}{100}$ 円	
売　　　値　$280 \times \dfrac{125}{100} \times \dfrac{100-x}{100}$円	
販売費用　$280 \times \dfrac{10}{100}$ 円	販売数　1025 − 25

　「損をしないで売る」とは、仕入値＋販売費≦売上　となることであるから、

$$280 \times 1025 + 280 \times \frac{10}{100}(1025 - 25)$$

$$\leqq 280 \times \frac{125}{100} \times \frac{100-x}{100}(1025 - 25)$$

$$\therefore 280 \times 1025 + 280 \times 100 \leqq \overset{70}{\cancel{280}} \times \frac{5}{\underset{1}{\cancel{4}}}\left(1 - \frac{x}{100}\right) \times 1000$$

左辺を因数分解して
$$28\cancel{0}\,(1025 + 100) \leqq 350\cancel{0}\,(100 - x)$$

$$x \leqq \frac{35000 - 28 \times 1125}{350} = 100 - \frac{\overset{4}{\cancel{28}} \times 1125}{\underset{50}{\cancel{350}}} = 10\%$$

が割り引くことのできる限界である。

数的推理

── 257 ──

次の記述を読んで、解答群から正解を 1 つ選べ。

問 9
check!
☐☐☐

時速 3km で流れている川の上流と下流に、15km 離れて A 地点、B 地点がある（A を上流とする）。この 2 つの地点を、舟で 1 往復する。この舟は流れのない水上での速さは時速 6km であるが、A 地点と B 地点を往復する場合、平均時速で何 km になるか。

1　時速 $\dfrac{5}{2}$ km

2　時速 3km

3　時速 $\dfrac{10}{3}$ km

4　時速 $\dfrac{9}{2}$ km

5　時速 5km

問9　正解4

　これは「流水算」といわれるもので、

流れと同じ方向に進む場合の速さ＝舟自身の速さ＋流れの速さ

流れと逆向きに進む場合の速さ＝舟自身の速さ－流れの速さ

となる。

　なお、公式《速さ×時間＝距離》は必須。この両辺を時間で割れば《速さ＝$\dfrac{距離}{時間}$》、速さで割れば《時間＝$\dfrac{距離}{速さ}$》が得られる。

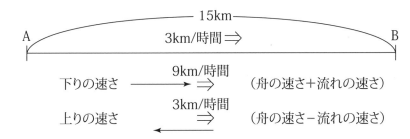

地点Aから地点Bに下るのに要する時間は、

$$\frac{15\text{km}}{9\text{km/時}} = \frac{5}{3} \ 時間$$

地点Bから地点Aに上るのに要する時間は

$$\frac{15\text{km}}{3\text{km/時}} = 5 \ 時間$$

往復に要する時間は　$\dfrac{5}{3} + 5 = \dfrac{20}{3}$ 時間であるから、

速さの平均は $\dfrac{距離}{時間}$ より　$\dfrac{30\text{km}}{\dfrac{20}{3}時間} = 30 \times \dfrac{3}{20} = \dfrac{9}{2}$ km/時

次の記述を読んで、解答群から正解を１つ選べ。

問 10
check!
☐☐☐

毎秒 12m で走っている電車 A と、長さ 320m の鉄橋を 25 秒で渡り切る電車 B とがある。電車 A は、長さが 60m で、電車 B とすれ違うのに５秒かかる。電車 B の速さは毎秒何 m か。

1　毎秒 12.0m
2　毎秒 11.5m
3　毎秒 12.8m
4　毎秒 14.4m
5　毎秒 16.0m

問10　正解5

　　これは「通過算」とよばれるもので、長さのあるものが別のものとすれ違う時間を話題とする。本問では電車Bの長さが記されていないので、Bの速さとともに求めることになる。

　　電車Bが長さ320mの鉄橋を「渡り切る」とは、図1のような状態をいう。（電車Bの長さをℓ、速さをvとする。）

図1

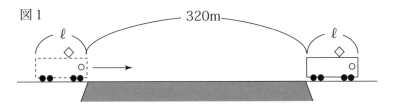

　　この間、電車の先頭は$(320+\ell)$m 進んでいるので、
vm/秒$\times 25$秒$=(320+\ell)$m　……①
　　また、電車Aが電車Bとすれちがうとは、図2のような状態をいう。

図2

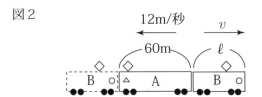

　　この間、電車Bの先頭は、電車Aの先頭にたいして$(60+\ell)$m進んでおり、すれ違っている間、○印は△印に対し、$(12+v)$m/秒の速さで遠ざかっていく。
　　このことから、$(12+v)$m/秒$\times 5$秒$=(60+\ell)$m　……②

　　①②より
$$\begin{cases} 25v = 320 + \ell \\ 60 + 5v = 60 + \ell \end{cases}$$

　　これを解いて　$v = 16$m/秒
　　　　　　　　　　$\ell = 80$m

次の記述を読んで、解答群から正解を1つ選べ。

問11
check!
☐☐☐

図のように、どの2本の直線も必ず交わり（平行ではない）、しかも、どの3本の直線も1点で交わることがないように、直線を引いていく。13本の直線をこのように引いたときできる交点の数はいくつか。（直線が4本のときは6個である。）

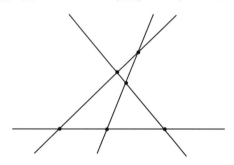

 1　52個
 2　66個
 3　78個
 4　84個
 5　91個

問 11　正解 3

　　交点は 2 本の直線によって 1 個できるので、求める数は、13 本の直線から 2 本を選ぶ組合わせの数と同じである。

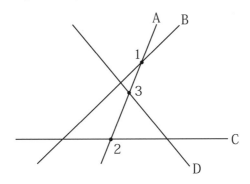

　　直線 A と B からは交点 1 ができる。同様に、直線 A と C からは交点 2 ができ、直線 A と D からは交点 3 ができ、……

$$_{13}C_2 = \frac{13 \times 12}{1 \times 2} = 78$$

【別解】

　　直線を 1 本目から順に書き加えていくことを考える。
例えば 5 本目の直線は、今まで引かれた 4 本の「どの直線とも必ず交わり、しかも、どの 3 本の直線も 1 点で交わることがないように」引いていくのであるから、5 本目を引くことによってそれまでに引かれていた直線の数と同じ 4 個の交点が増えることになる。これを 2 本目から 13 本目まで行えば、交点の数は、
$1 + 2 + 3 + \cdots + 12 = 78$　　となる。

次の記述を読んで、解答群から正解を1つ選べ。

問12
check!
□□□

10枚の官製はがきを、A、B、Cの3人で分ける方法は、何通りあるか。ただし、はがきはどれも同じで区別できない。また、1枚ももらわない人がいてもかまわない。

1　62 通り
2　63 通り
3　64 通り
4　65 通り
5　66 通り

問12　正解5

　これは「重複組合わせ」と呼ばれるものである。区別できないものを分けるので、A、B、Cの3人がそれぞれ何枚もらうかだけが問題になる。数が少なければ、(A、B、C) ＝ (0、0、10)(0、1、9)(0、2、8)……というように数えてしまってもよいのだが、10枚では少々大変である。そこで……

　はがき10枚を横に並べて、その間に2つの仕切りを入れることを考える。そして左から順にA、B、Cのものにする。ただし仕切りは2枚隣り合っていてもよいとし、その場合にはもらうはがきがなかったと考える。

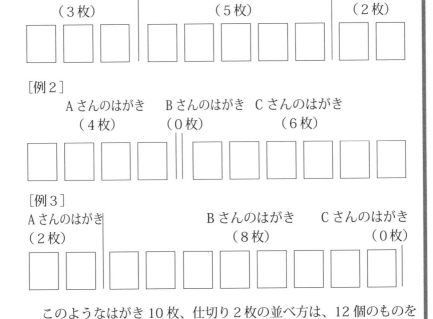

[例1]
　Aさんのはがき　　　Bさんのはがき　　　Cさんのはがき
　（3枚）　　　　　　　（5枚）　　　　　　（2枚）

[例2]
　　Aさんのはがき　Bさんのはがき　Cさんのはがき
　　（4枚）　　（0枚）　　　（6枚）

[例3]
Aさんのはがき　　　　　Bさんのはがき　　　Cさんのはがき
（2枚）　　　　　　　　（8枚）　　　　　　（0枚）

　このようなはがき10枚、仕切り2枚の並べ方は、12個のものを並べておいて、区別のつかないものは1通りと見なす重複順列と同じだから

$$\frac{12!}{10! \times 2!} = \frac{11 \times 12}{1 \times 2} = 66 \text{通り}$$

次の記述を読んで、解答群から正解を1つ選べ。

問13
check!
□□□

A、Bの2人が1回ずつサイコロを投げ、その積が偶数だったらAに勝ち点1を与え、奇数だったらBに勝ち点1を与える。どちらかの勝ち点が3になるまでこのゲームを続けるとして、Bが先に勝ち点3を得る確率はいくらか。

1　$\dfrac{53}{512}$

2　$\dfrac{37}{512}$

3　$\dfrac{21}{512}$

4　$\dfrac{53}{256}$

5　$\dfrac{37}{256}$

問13　正解 1

偶×偶＝偶、偶×奇＝偶、奇×偶＝偶、奇×奇＝奇であるから、
Aが勝ち点を得る確率は $\dfrac{3}{4}$、Bが勝ち点を得る確率は $\dfrac{1}{4}$ である。

Bが先に勝ち点3を得るのは、Bが勝ち点2を持っている状況で、さらに次の勝負でBが勝つ場合である。

Bが2勝するまでの1〜4回目の勝敗を書き並べると（5回目にはAかBかどちらかが3勝するので、多くても4回目まで）下のようになる。

	1回目	2回目	3回目	4回目	起こる確率
2勝0敗	○	○			$(\dfrac{1}{4})^2$
2勝1敗	○	○	●		${}_3C_1 (\dfrac{1}{4})^2 (\dfrac{3}{4})$
	○	●	○		
	●	○	○		${}_3C_1$ は3回のうち●となる1か所の選び方
2勝2敗	○	○	●	●	
	○	●	○	●	
	○	●	●	○	${}_4C_2 (\dfrac{1}{4})^2 (\dfrac{3}{4})^2$
	●	○	○	●	
	●	○	●	○	${}_4C_2$ は4回のうち●となる2か所の選び方
	●	●	○	○	

よってBが2勝する確率は

$$(\dfrac{1}{4})^2 + {}_3C_1 (\dfrac{1}{4})^2 (\dfrac{3}{4}) + {}_4C_2 (\dfrac{1}{4})^2 (\dfrac{3}{4})^2$$

$$= (\dfrac{1}{4})^2 (1 + \dfrac{9}{4} + \dfrac{27}{8}) = (\dfrac{1}{4})^2 \times \dfrac{53}{8}$$

この状態で次にBが勝ち点を得るとゲームは終わるので、

求める確率は $(\dfrac{1}{4})^2 \times \dfrac{53}{8} \times \dfrac{1}{4} = \dfrac{53}{512}$

次の記述を読んで、解答群から正解を１つ選べ。

問14
check!
□□□

下図で、四角形 ABCD は正方形であり、台形 BCDF の面積は 36、三角形 AEF の面積は 9 である。このとき BE の長さはいくらか。

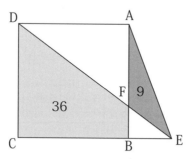

1　$3\sqrt{2}$

2　$\dfrac{3\sqrt{2}}{7}$

3　$\dfrac{3\sqrt{6}}{2}$

4　4

5　$3\sqrt{3}$

問14　正解3

台形と三角形の面積は与えられているものの、具体的な長さはまったく与えられていないので、まず等積変形によって9および36の面積がどこに移せるかを考えていく。

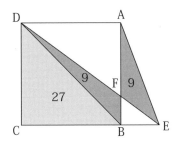 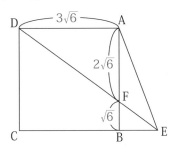

△ABEと△DBEはともに底辺がBE、高さがABであるから、面積が等しい。

よって、それらから△FEBの面積を除いた、△AEF、△DBFの面積も等しい。

すると台形BCDFの面積が36であったから、△BCDは36 − 9 = 27で、正方形ABCDは54である。

これより正方形ABCDの1辺は $\sqrt{54} = 3\sqrt{6}$ であることが分かる。

次に、△DBFでFBを底辺、ADを高さと見ると、$\dfrac{FB \times 3\sqrt{6}}{2} = 9$

であるから、$FB = \sqrt{6}$ であり、$AF = 2\sqrt{6}$ と分かる。

以上から、△FAD ∽ FEBで、相似比は2：1であることに注意すると、$BE = \dfrac{1}{2}AD = \dfrac{3\sqrt{6}}{2}$ である。

数的推理

次の記述を読んで、解答群から正解を１つ選べ。

問 15
check!
□□□

下図は半円と直角三角形が組み合わされた図形である。この図のグレー部分ＳとＴの面積が等しいとき、ＡＢの長さはいくらか。

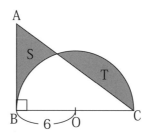

1　2π

2　3π

3　$6\pi - 12$

4　$9\pi - 18$

5　$4\sqrt{3}$

問15　正解2

　SもTもこのままでは面積を計算できる形ではないから、どこかに移動したり、何かを加えたりして、計量できる形に直すことを考える。その際、S＝Tという条件が使えればなお好都合である（DはOの真上にあるわけではないので勘違いしないこと）。

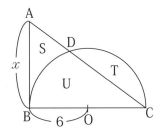

　SとTの面積が等しいなら、それにUを加えたS＋U、T＋Uの面積も等しくなる。

半　　　円　　$T＋U＝6×6×\pi÷2$

直角三角形　　$S＋U＝12×x÷2$

∴$18\pi＝6x$　　$x＝3\pi$

次の記述を読んで、解答群から正解を1つ選べ。

問1
check!
□□□

「青森」が「ＡＦＥＦＥＬＢＮ」で表わされるとき、「ＢＫＥ ＮＡＨＢＧ」は、次のうちどの都市を表わしているか。

1　八戸
2　弘前
3　盛岡
4　花巻
5　一関

問1　正解2

　「青森」がアルファベット8文字で表わされているので、平仮名1文字がアルファベット2文字に対応していると考える。「あ」「お」は母音のみの文字だが、これも2文字（AF、EF）で表わされていると考えると、Fが子音のないことを表わすのではないかと考えられる。同時に、母音が前、子音が後になっているのではないかと見当を付けていく。

　前の文字がA、E、Bとアルファベットの5文字目まで、後の文字がF、L、Nとアルファベットの6文字目以降ということから、下のような対応表になるのではと思いつけばしめたもの。（A＝a、B＝i、C＝u、D＝e、E＝o、G＝k、H＝s、I＝t、J＝n、……に置き換えるとよく見る対応表になる。）

	F	G	H	I	J	K	L	M	N	O
A	あ	か	さ	た	な	は	ま	や	ら	わ
B	い	き	し	ち	に	ひ	み		り	
C	う	く	す	つ	ぬ	ふ	む	ゆ	る	
D	え	け	せ	て	ね	へ	め		れ	
E	お	こ	そ	と	の	ほ	も	よ	ろ	を

　これによると「BK　EN　AH　BG」は「ひろさき」になる。「一関（いちのせき）」は平仮名で5文字だから、最初から除外できる。

次の記述を読んで、解答群から正解を 1 つ選べ。

問2
check!
□□□

次の命題Ａ〜Ｄが成り立つとき、確実にいえるものは次のうちどれか。（ただし、各項目について好きか嫌いのどちらかであるとする。）

Ａ　水泳が好きな人は夏が好きである。
Ｂ　日焼けが嫌いな人は夏が嫌いである。
Ｃ　海が嫌いな人は夏が嫌いである。
Ｄ　海が好きな人は船が好きである。

1　船が好きな人は海が好きである。
2　夏が好きな人は水泳が好きである。
3　海が嫌いな人は日焼けが嫌いである。
4　日焼けが嫌いな人は夏も水泳も両方とも嫌いである。
5　海か日焼けのどちらかが好きな人は水泳が好きである。

問2　正解4

　　A、Dは「pが好きな人はqが好きである」（「pならばqである」というのと同じ）の形になっているが、B、Cは「pが嫌いな人はqが嫌い」（「pでないならばqでない」というのと同じ）の形をしている。そこで、「pならばq、qならばr」という尻取りを作るために、B、Cは対偶をとる。（「pならばqである」の対偶は「qでないならばpでない」で、この2つは同じことを表わす。）

　　また、「rもsも」（「rかつs」というのと同じ）を否定すると、「rでないかsでない」となり（図1）、「rかsか」（「rまたはs」というのと同じ）を否定すると、「rでもsでもない」となる（図2）。

図1
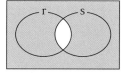
rかつs　　　　　「rかつs」の否定　rでないかsでない

図2
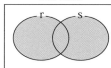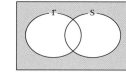
rまたはs　　　　　「rまたはs」の否定　rでもsでもない

　　さて、命題A～Dは次のように表わせる。

A　水泳が好き→夏が好き

B　日焼けが嫌い→夏が嫌い（対偶：夏が好き→日焼けが好き）

C　海が嫌い→夏が嫌い（対偶：夏が好き→海が好き）

D　海が好き→船が好き

また、肢1～5の命題は次のように表わせる。

1　船が好き→海が好き

2　夏が好き→水泳が好き

3　海が嫌い→日焼けが嫌い（対偶：日焼けが好き→海が好き）

4　日焼けが嫌い→夏も水泳も嫌い（対偶：夏か水泳のどちらかが好き→日焼けが好き）

5　海か日焼けかが好き→水泳が好き

　　このうち、肢4の対偶は命題A、Bの尻取りにより「水泳が好き→夏が好き→日焼けが好き」となり、正しいといえる。

次の記述を読んで、解答群から正解を 1 つ選べ。

問3
check!
□□□

あるグループについて、次のⅠ～Ⅳのことが分かっているとき、論理的に正しいといえるものはどれか。

Ⅰ）健脚な者はすべて長寿である。
Ⅱ）健脚な者のなかには胃腸が強い者もいる。
Ⅲ）胃腸が強くて視力のよい者はまったくいない。
Ⅳ）長寿な者のなかには視力のよい者もいる。

1　胃腸が強くて長寿な者はみな健脚である。
2　長寿で健脚な者のなかには視力がよい者もいる。
3　長寿で視力のよい者のなかには健脚な者もいる。
4　長寿だが健脚ではない者はみな胃腸が強い。
5　健脚で視力のよい者はみな長寿である。

問3　正解5

　設問中に「すべて」とか「まったく」とか「～もいる」（「1つは」という用語もこれに同じ）などという語があるので、ベン図を描いて考える。「p→q」は「pならばすべてqである」という意味で、これは「～もいる・1つは」に対応できないからである。

　Iの「すべて」は、一方がもう一方のなかに含まれるように、Ⅲの「まったくいない」は、お互いが交わらないように、ⅡⅣの「～もいる」はお互いが交わるように描く。するとベン図は、Ⅳの視力のよいものが健脚かどうかによって、図1、図2の2種の場合があることが分かる。（それぞれの領域をあ～け、ア～ク、とする。）

図1

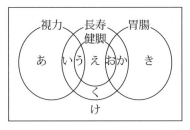

図2

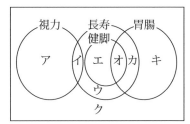

肢1は×。肢1は「おか」「オカ」の部分を指しているが、「か」「カ」の部分は健脚ではない。

肢2は×。肢2は「うえお」「エオ」の部分を指しているが、これは図1の場合にはそういえるが（領域「う」の部分が交わっている）、図2の場合にはそうはいえない。

肢3×。肢3は「いう」「イ」の部分を指しているが、これは図1の場合にはそういえるが（領域「う」の部分が交わっている）、図2のように健脚な者がいない場合がある。

肢4×。肢4は「いかく」「イウカ」の部分を指しているが、胃腸が強いのは「か」「カ」の部分だけである。

肢5○。肢5は図1の「う」を指し、図2にはそのような領域はない。したがって、そのような者がいた場合、みな長寿だということができる。

次の記述を読んで、解答群から正解を 1 つ選べ。

問 4
check!
□□□

ある事件に関して A ～ E の 5 人が容疑者として浮かんだ。犯人は 1 人である。各容疑者は以下のように証言した。調査後、このうち 2 人は嘘をついていたことが分かった。犯人は次のうちだれであったか。

A「犯人は D だ」
B「私はやっていない」
C「犯人は B か E だ」
D「A も B も嘘をついている」
E「C は嘘をついている」

1　A
2　B
3　C
4　D
5　E

問4　正解4

　「嘘つき問題」では、1人に限定できる項目を本当か嘘かに固定して、他の部分に矛盾が出ないかどうか考える（背理法）が常套手段である。

　犯人は1人だけだから、Aから順に犯人だと仮定して、各証言の真偽を○×で記入してみる。

　Aが犯人であるなら、Aの証言は嘘（×）、Bの証言は本当（○）、Cの証言は嘘（×）である。また、Bが○であるからDの証言は嘘で、Cが×であるからEの証言は本当である。以下同様にしてB〜Eを犯人と仮定して表を埋めると下のようになる。

	A	B	C	D	E	
Aが犯人の場合	×	○	×	×	○	3人が嘘をついていた
Bが犯人の場合	×	×	○	○	×	3人が嘘をついていた
Cが犯人の場合	×	○	×	×	○	3人が嘘をついていた
Dが犯人の場合	○	○	×	×	○	2人が嘘をついていた
Eが犯人の場合	×	○	○	×	×	3人が嘘をついていた

　すると、嘘をついていた者が2人となるのは、Dを犯人と仮定した場合だけであることが分かる。

次の記述を読んで、解答群から正解を1つ選べ。

問5
check!
□□□

A、B、C、D、Eの5人がテストを受け、その結果について以下のように発言しているが、それぞれの発言が、半分は正しく、半分は誤っている。Cは何番か。ただし、同点の者はいなかった。

A　私は2番で、Bは5番だった。
B　私は1番で、Cは5番だった。
C　私は5番ではなく、Dは3番だった。
D　私は3番で、Eは1番ではなかった。
E　私は1番で、Aは4番だった。

1　1番
2　2番
3　3番
4　4番
5　5番

問5　正解5

　前半が正しくて後半が誤っている場合と、後半が正しくて前半が誤っている場合に分けて考える。もし前半が正しく後半が誤っていると仮定して矛盾が出れば、それは仮定が誤っていたことになる。

　だれから始めても同じようなものだが、前半後半とも「何番だ」と言い切っているAかBの発言について場合分けをしてみる。Aの発言をスタートにして前半が正しく後半が誤っていると仮定して、尻取り式に各発言を追っていくと、次のようになる。

	前半	後半	その発言から分かること	次に着目する発言
Aの発言	○	×	A2番	→Eの発言へ
Bの発言	×	○	B1番でない（残った4番）	（矛盾しない）
Cの発言	×	○	C5番	→Bの発言へ
Dの発言	○	×	D3番	→Cの発言へ
Eの発言	○	×	E1番	→Dの発言へ

　これにより、1番E、2番A、3番D、4番B、5番Cと決定できる。
　一方、後半が正しく前半が誤っていると仮定した場合は次のようになる。

	前半	後半	その発言から分かること	次に着目する発言
Aの発言	×	○	B5番	→Bの発言へ
Bの発言			（矛盾）	

　Bが5番だったとすると、Bの発言の前半も後半も×となり、「半分は正しく、半分は誤っている」という条件と矛盾する。そこで、Aの発言は前半が正しく、後半が誤っていたことが分かる。

判断推理

次の記述を読んで、解答群から正解を1つ選べ。

問6
check!
□□□

A～Eの5人が10満点の試験を受けたところ、次の（あ）～（お）のような結果となった。これらの結果から確実にいえることは次のうちどれか。

（あ）BとDの差は4点であった。
（い）AとEの差は3点であった。
（う）DはEより2点高い得点だった。
（え）EはCより4点低い得点だった。
（お）BとEの平均は6点だった。

1　1位はBである。
2　2位はDである。
3　3位はAである。
4　4位はCである。
5　5位はEである。

問6　正解 1

　　順位問題では適当なものを基準にとって数直線を用いて考えると
よい。しかし、この問題では（あ）（い）のようにどちらが大きいの
か分からないものが2つあって、数直線上に書くと煩雑なので、表
にしてみる。

　　Cを基準（±0）にして、Cからの差を書き入れると、次のよう
になる。

C	E	D	A	B
±0	−4	−2	−1	+2
				−6
			−7	+2
				−6

　　ここで、BとEの平均は、Cを基準にして考えると、−1（Bが
+2の場合）か−5（Bが−6の場合）になる。
　　このBとEの平均は実際の得点では6点だったわけだから、Cか
ら見て−1のときはCは7点となり、Cから見て−5のときはCは
11点となる。

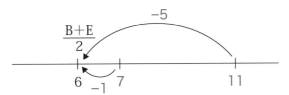

　　10点満点のテストで11点はあり得ないから（したがって、Bが
−6のことはあり得ない）、Cは7点と決められ、上の表によって
順に、E3点、D5点、A6点か0点、B9点となる。Aの得点が
確定できないので、確実にいえるのは1位Bと2位Cである。

次の記述を読んで、解答群から正解を 1 つ選べ。

問7
check!
□□□

Aさん、Bさん、Cさん、Dさんの4人は、それぞれ歯科医、弁護士、小説家、画家で、またそれぞれ札幌、東京、京都、福岡の出身である。

Aさんは歯科医ではなく、Bさんは東京出身、Cさんは福岡出身である。また、歯科医は京都出身であり、小説家と画家は札幌出身ではない。このとき確実にいえるのは次のうちどれか。

1　Aさんは京都出身である。
2　Bさんは小説家である。
3　Cさんは画家である。
4　Dさんは札幌出身である。
5　Aさんは弁護士である。

問7　正解5

　人物、職業、出身地の3種のものを対応させる問題である。2種のものの対応のときは、対応表が書きやすいが、3種のもののときは分かっていることをどんどん書き出して下調べをするとよい。

　確定できるものを＝、あり得ないものを←→で、設問文から関係を書き出すと次のようになる。

A	←→	歯 科 医
B	＝	東京出身
C	＝	福岡出身
歯科医	＝	京都出身
小説家	←→	札幌出身
画　家	←→	札幌出身

　この表では、出身地でつながっているものが多いので、出身地を中央にして表にすると、次のように決まる。

A	札幌	弁
B	＝東京	小or画
C	＝福岡	小or画
D	京都	＝　歯

　したがって、5のAさんの弁護士だけが確実にいえる。

次の記述を読んで、解答群から正解を 1 つ選べ。

問8
check!
□□□

A〜Jの 10 人が図のような 3 階建ての集合住宅に住んでおり、下の (あ) 〜 (お) のようなことが分かっている。

301	302	303	304
201	202	203	204
101	102	103	104

(あ) Hの両隣りには B と G が住んでいる。
(い) 3 階には空き部屋はない。
(う) J と C は同じ階に住んでいるが、隣り同士ではない。
(え) E と I は 3 階の隣り同士で、I のすぐ下は空き部屋である。
(お) D のすぐ下には F、A のすぐ下には J が住んでいる。
以上のことから次のうち確実にいえることはどれか。

1　A は 3 階の角部屋である。
2　C と J の間には 2 つの部屋がある。
3　E は 3 階の角部屋である。
4　1 階の角部屋は空き部屋となっている。
5　H のすぐ上は空き部屋となっている。

問8　正解4

　全体で12部屋あり10人が住んでいるので、空き部屋が2つあることになる。

　まず与えられた条件から隣り同士の組（ピース）を作り、当てはめていく。どこか1つ決まれば芋づる式に決まっていくので、なるべく大きなピースに注目するのがコツである。もし1つに決定できるものがなければ、左右の対称性などはひとまとめにして、とにかく1つの可能性を見付ける。

（あ）の条件から | B | H | G |

（う）の条件から | J | * | C | 　あるいは　| J | * | * | C |

（*には何か入っても入らなくてもよい）

（え）の条件から | I | E |

（お）の条件から | D | および | A |
　　　　　　　　 | F | 　　　　 | J |

という組が作れる（ただし、左右の入れ替えは可）。

　各階とも4部屋なので、（あ）と（お）の条件から（BHG）（J*C）は1階か2階のいずれかということが分かる。

　また縦の（DF）の関係から、2階にはDかFのいずれかがあり、Iの下が空き部屋になっているので、2階に（BHG）がくることはない。また（AJ）の関係からAが3階にくることがわかる。

　以上の条件を満たす可能性は、例えば次のようになる。

A	I	E	D
J		C	F
B	H	G	

D	A	I	E
F	J		C
B	H	G	

　ただし、各ピースは左右入替え可で、全体も左右入替え可である。

次の記述を読んで、解答群から正解を 1 つ選べ。

問 9
check!
□□□

図のような 1 辺 5cm の正 6 角形の内部と外部を、半径 √3cm の円がすべることなくころがる。このとき円の中心の描く軌跡の長さは、正 6 角形の外部をころがるときと内部をころがるときでどれだけ違うか。次のうちからその差を選べ。ただし、正 6 角形の厚みは考えない。

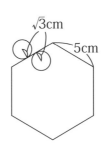

√3cm

5cm

1　12 ＋ 2√3 π cm
2　12 ＋ 3√3 π cm
3　18 ＋ √3 π cm
4　18 ＋ 2√3 π cm
5　18 ＋ 3√3 π cm

問9　正解1

　円の中心は直線上をころがるときには直線運動を、角を曲がるときには、その角に接している円周上の点と中心までの距離を半径とする円弧を描く。

　またその円弧は6つの角をあわせればちょうど360度となる。（1周＝360度して元に戻ってくるので。）

　外部、内部の軌跡は図1のようになる。

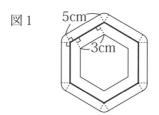

図1　5cm　3cm

　外部の角を曲がるときには図2のように、内部の角を曲がるときには図3のようになる。

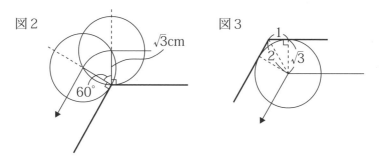

図2　$\sqrt{3}$cm　60°　　図3　1　2　$\sqrt{3}$

　したがって、外側の軌跡の長さは、直線部が 5cm × 6 ＝ 30cm、

円弧の部分が $2\sqrt{3}\,\pi \times \dfrac{60}{360} \times 6 = 2\sqrt{3}\,\pi$ cm　となる。

　また、内側の軌跡の長さは、3cm × 6 ＝ 18cm となり、その差は $12 + 2\sqrt{3}\,\pi$ cm である。

判
断
推
理

次の記述を読んで、解答群から正解を 1 つ選べ。

問 10
check!
☐☐☐

図のように、1 辺 5cm の正方形を 1 辺 1cm の正方形 25 個に分割した図形がある。この図形の中に★☆◎◆を偶数個含む正方形はいくつあるか。ただし、0 個も偶数個とする。

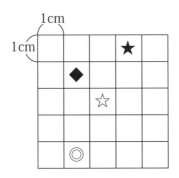

1　31 個
2　32 個
3　33 個
4　34 個
5　35 個

問10　正解4

　★☆◎◆を無視して全体を数え、そこから★☆◎◆を1つだけ含む正方形と、3つ含む正方形を引くのが簡単である。正方形の数を数えるときには、1辺の長さで整理しながら数えると、数え間違いが起こりにくい。

　5×5の正方形のなかには、1辺が1cmのもの25個、1辺が2cmのもの16個、1辺が3cmのもの9個、1辺が4cmのもの4個、1辺が5cmのもの1個の、計55個の正方形が含まれる。（一般に縦横n個に分割された正方形には、$\dfrac{n(n+1)(2n+1)}{6}$ 個の正方形が含まれる。）

　この55個から、以下の★☆◎◆を奇数個含むものを引く。
◆だけを含む正方形は、1辺1cmのもの1個、1辺2cmのもの3個の、計4個。
★だけを含む正方形は、1辺1cmのもの1個、1辺2cmのもの2個の、計3個。
☆だけを含む正方形は、1辺1cmのもの1個、1辺2cmのもの3個、1辺3cmのもの2個の、計6個。
◎だけを含む正方形は、1辺1cmのもの1個、1辺2cmのもの2個の、計3個。
◆★☆を含む正方形は、1辺3cmのもの1個、1辺4cmのもの2個の、計3個。
◆☆◎を含む正方形は、1辺4cmのもの2個。
◆★◎を含み☆を含まない正方形、★☆◎を含み◆を含まない正方形は存在しない。
　以上から、求める個数は
$55-(4+3+6+3+3+2)=34$ 個。

次の記述を読んで、解答群から正解を 1 つ選べ。

問11
check!
☐☐☐

図1〜5のような床を図aのような台形のタイルでしき詰める。過不足なくしき詰めることのできるものは、図1〜5のなかに何個あるか。ただしタイルは何個でも自由に使ってよく、また裏返しにして使ってもかまわない。

図a

図1 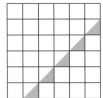　　図2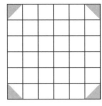

図3 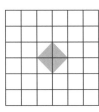　　図4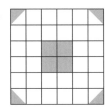

図5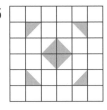

▨部はしき詰めない

1　1個
2　2個
3　3個
4　4個
5　5個

問11　正解 1

　　実際にやってみればできるが、試験は時間との勝負だから、上手に判別したい。図 a は比較的自在にしき詰めることのできる形だが、面積の合わないものは過不足が出る。

　　正方形の面積を 2 とすると、図 a のタイル 1 枚の面積は 3 である。図 1 ～ 5 の床の面積を数えて、3 の倍数になっていないものは、面積 3 のタイルでちょうどしき詰めることはできない。
図 1 は、1 マスを 2 として 67 で、3 で割り切れないので過不足が出る。
図 2 は、1 マスを 2 として 68 で、3 で割り切れないので過不足が出る。
図 3 は、1 マスを 2 として 68 で、3 で割り切れないので過不足が出る。
図 4 は、1 マスを 2 として 60 で、3 で割り切れるのでしき詰められる。
図 5 は、1 マスを 2 として 64 で、3 で割り切れないので過不足が出る。
実際、図 4 は下例のようにしき詰めることができる。

例
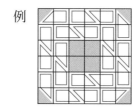

次の記述を読んで、解答群から正解を1つ選べ。

問12
check!
☐☐☐

次の展開図で表わされる立方体を組み立てたときにできる図形は、図1～5のうちどれか。

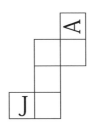

1
2
3

4
5

問12　正解2

　サイコロには全部で11通りの展開図がある。これらは組み立てれば同じものになるので、相互に書換え可能である。この問題では「A」と「J」の位置が離れているためにはっきりしなくなっているので、Aの面とJの面が近づくように書き換えて考えると容易になる。

　まず、このサイコロを頭のなかで一度組み立てる。（全体でなく、一部でもよい。）図①の太線の部分をのり付けし、代わりに点線の部分をハサミで切り離したのが図②である。さらに図②の太線の部分をくっつけ、点線の部分を切り離したのが図③である。これを組み立てると、太線の部分がくっつくから、「A」の側面と「J」の下部が接することが分かる。

　なお、このような書換えの途中で、図aのように正方形が横に5つ並んだら、重なる面ができてしまうから立方体はできない。あくまでも、頭のなかで組み立ててから切り離すようにする。

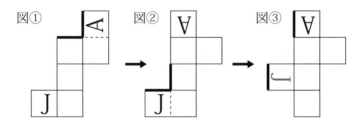

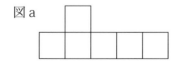

図a

次の記述を読んで、解答群から正解を 1 つ選べ。

問 13
check!
□□□

図のような 1 辺 1cm の立方体 22 個からなる立体がある。この立体の全表面に着色を施した後、22 個の小立方体に戻した。この小立方体の着色されている面の合計は次のうちどれか。

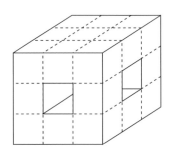

1　64 面
2　66 面
3　68 面
4　70 面
5　72 面

問13　正解 3

　　内部の見えない立体が出たときには、立体の必要な面をスライスして形状を考えると、イメージしにくい図形でも必要な情報を得ることが容易になる。また、1番上の層と1番下の層は対称だから、どちらか1つを考えればいい。

　　まず上下の層と真中の層を切断する。真中の層を真上から見たのが図1だが、この部分は上に第1の層が乗っていたから、着色されていない。すると真中の層は4つの柱状の部分が側面だけ4面着色されていることが分かる。

　　次に、真中の層を取り去って、1番下の層を真上から見たのが図2である。この層では、床と接触している面と側面はすべて着色されている。したがって、4隅のⅠ）の立方体は底面と側面2つの3面が、Ⅱ）の立方体は上下の面と側面1つの3面が、中央のⅢ）の立方体では上下の面の2面が着色されていることになる。

図1

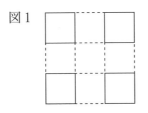

図2

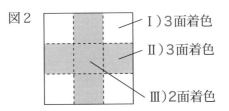

Ⅰ）3面着色
Ⅱ）3面着色
Ⅲ）2面着色

　　以上をまとめて、4面着色されている立方体は4個、3面着色されている立方体は16個、2面着色されている立方体は2個あることが分かり、着色されている面の合計は、$4 \times 4 + 3 \times 16 + 2 \times 2 = 68$ 面となる。

次の記述を読んで、解答群から正解を１つ選べ。

問 14
check!
□□□

図のような長方形の板に棒を取り付けて回転させた。回転体の形状としておおよそ適当なものは次のうちどれか。ただし、棒は長方形の左辺の上から３分の１と、右下の頂点を通っており、左右の長さは上下の長さの３分の２より小さいものとする。

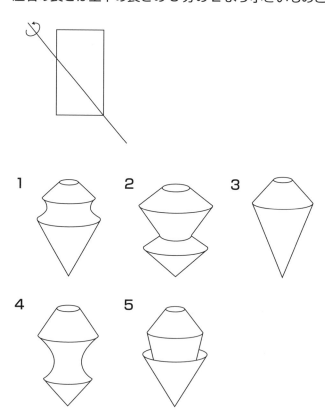

問14　正解2

　　軸の左右にある部分は、1回転させたときに重なる。そこで軸の左にある部分を右に折り返した図で考える（折り返した部分は合同である）。

　　これを軸によって回転させると、下部はとがって、上部はくぼんだ形をしており、横に張り出した部分が上下に2つある。また、それらは円錐を組み合わせた形をしているはずで、湾曲はしていない。さらに、2つの張り出した部分が交わるところは鈍角になっている。また、2つの張り出した部分は、両方とも直角である。

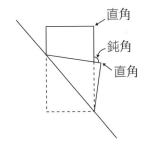

直角

鈍角

直角

次の記述を読んで、解答群から正解を１つ選べ。

問 15
check!
□□□

図のように１辺の長さが１の立方体を、横に３個、縦に２個、上下に３個積んだ直方体がある。この直方体を点M、B、Nを通る平面で切断すると、何個の小立方体が切断されるか。

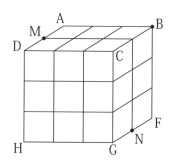

1　10個
2　11個
3　12個
4　13個
5　14個

問15　正解3

「2枚の平行な面に第3の平面が交わるとき、交線は平行になる」というルール（図1）を使い、平面MBNによる切断面がどうなるか考えると、点Hを含む平行四辺形になる（図2）。この切断面に小立方体の境界だった線を描き入れていく。

上面（平面ABCD）と底面（平面EFGH）は平行だから、これを平面MBNで切断すると、その切り口MB、NHは平行になる。（点Eは裏側に隠れて見えない）。同様に側面BFGCと側面AEHDを平面MBNで切断すると、その切り口BN、MHは平行になる。

こうしてできた平行四辺形MBNHで、立方体を積み上げた1層目と2層目、2層目と3層目の境界は上面、底面に平行だから、直線MBに平行になるはずである（図3）。また、横に並んだ1列目と2列目、2列目と3列目の境界は側面に平行だから、直線MNに平行になるはずである（図4）。

次に手前の列と奥の列の境界線は、平面MBNH上をMからNに最短距離で切断する。これらを書き入れて、区画を数えると12個である（図5）。

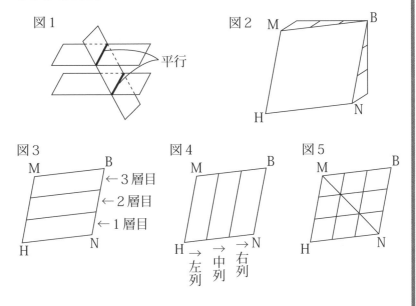

ワンポイント・レッスン

数列と組合せの公式

n 個の異なるもののなかから r 個を並べることを、n 個から r 個取る順列といい、その総数を nPr と書く。

$$nPr = n\,(n-1)\,(n-2)\cdots(n-r+1) = \frac{n!}{(n-r)!}$$

n 個の異なるもののなかから r 個を取り出して作る組を、n 個から r 個取る組合せといい、その総数を nCr で表わす。

$$nCr = \frac{nPr}{r!} = \frac{n!}{(n-r)!\,r!}$$

等差数列・等比数列の公式

初項 a_1、公差 d のとき、第 n 番目の項および第 n 番目までの項の和は、それぞれ次の式によって求める。

$$n\,番目の項\ a_n = a_1 + d(n-1)$$
$$等差数列の和\ Sn = (a_1 + a_n) \times n \div 2$$
$$= \{2a_1 + d(n-1)\} \div 2$$

初項 a_1、公比 r のとき、第 n 番目の項および第 n 番目までの項の和は、それぞれ次の式によって求める。

$$n\,番目の項\ a_n = a_1 r^{n-1}$$
$$第\,n\,項までの和\ Sn = \frac{a_1\,(1-r^n)}{1-r}\quad(r \neq 1\,のとき)$$
$$= na\quad(r = 1\,のとき)$$

面積・体積の公式

円の面積 $S = \pi r^2$

円周の長さ $\ell = 2\pi r$

球の体積 $V = \dfrac{4}{3}\pi r^3$

球の表面積 $S = 4\pi r^2$

円すいの体積 $V = \dfrac{1}{3}\pi r^2 h$

円すいの表面積 $S = \pi r^2 + \pi r \ell$

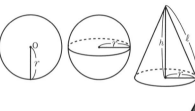

Lesson 5

文章理解、資料解釈

文章理解は、筆者の意図を読み取ることが重要である。自分の思い込みを捨てて、丹念に文章をたどり、接続詞、副詞などの用法に注意しながら読むことに慣れておく。

資料解釈は、割合を用いてデータを読み取るものが多いが、比較対象するものをよく見きわめること。単位に注意して計算する。

次の文章を読んで、解答群から正解を1つ選べ。

問1
check!
□□□

次の文章は、「労働経済白書」からの抜粋である。要旨としてもっとも適切なものはどれか。

　先進国と比較すると、日本の労働生産性は相対的に低く単位労働コストも高くなっている。これは、貿易財部門と非貿易財部門の生産性の格差によるものであると考えられる。また、製造業では、国内的には、労働生産性が上昇し、単位労働コストが低下しているものの、為替レートを考慮すると、必ずしも他国に比べて単位労働コストが低下しているとはいえない。

　中国をはじめとするアジア諸国では、技術水準が向上し、日本の製造業は賃金等のコストの差を考慮すると優位に立てなくなっている。いわゆる、空洞化が進展すると、国内の雇用に及ぼす影響が大きい。

　また、一般労働者ではパート労働者に比べ賃金の下方硬直性が強いため、現下のデフレ下においては、賃金調整が行われにくく、一般労働者の雇用の減少と、パート労働者への労働需要のシフトに結びついている可能性がある。

1　日本は賃金水準が先進国やアジア諸国と比べると高くなり、それが国際競争力をなくして、現在の雇用不安を招いている。

2　日本の産業は今後は先進国よりも賃金等が安く、しかも技術水準が高いアジア諸国に進出するのがよい。

3　わが国の単位労働コストの高さが国際競争力を弱めることになっているので、賃金コストを下げる努力が必要になる。

4　わが国は、労働生産性の面でも単位労働コストの面でも、国内の一般労働者に対する雇用の需要が減退することが考えられる。

5　日本の労働生産性は世界的にみると低いので、わが国産業の空洞化はますます深刻な事態を迎えている。

問1　正解4

　　日本の労働生産性と単位労働コストの面から国際比較をして、現在の雇用情勢を分析したものである。文章前半では、先進国との比較である。ここでは、わが国の労働生産性は必ずしも高くなく、為替レートを考慮すると単位労働コストは低下しているとはいえないといっている。

　　一方で、アジア諸国と比較すると、諸外国の技術水準が向上したことと、わが国との賃金等の格差により、わが国の優位が揺らいでいると指摘、今後産業の空洞化が進むことを危惧している。

　　さらには、賃金が相対的に高い一般労働者からパート労働者へのシフトが起こっていることを指摘している。

　　このようにみると、選択肢1は前半部分は妥当だが後半部分は短絡すぎる読み方であり、必ずしもそれだけで雇用不安が起こっているとは指摘していない。選択肢2は設問文からは明らかに逸脱した意見である。選択肢3は、前半部分はともかく、後半部分はうがちすぎた読み方である。選択肢5は、設問文では直接言及していないことである。

次の文章を読んで、解答群から正解を１つ選べ。

問2
check!
□□□

次の文章の内容にもっともあうものは次のうちどれか。

　いったい文化などという言葉からしてでたらめである。文化という言葉は、本来、民を化するのに武力を用いないという意味の言葉なのだが、それを culture の訳語に当てはめてしまったから、文化と言われても、私たちには何の語感もない。語感というもののない言葉が、でたらめに使われるのも無理はありませぬ。culture という言葉は、ごく普通の意味で栽培するという言葉です。西洋人には、その語感は十分に感得されているはずですから、culture の意味が、いろいろ多岐に分かれ、複雑になっても根本の意味合いはおそらく誤られてはおりますまい。果樹を栽培して、いい実を結ばせる。それが culture だ、つまり果樹の素質なり個性なりを育てて、これを発揮させることが、cultivate である。自然を材料とする個性を無視した加工は tech-nique であって、culture ではない。technique は国際的にもなり得よう、事実なっているが、国際文化などというのは妄想である。意味をなさぬ。

（出典　小林秀雄「私の人生観」）

1　私は、文化という言葉が嫌いであり、culture という英語も栽培という日本語に直したほうがいい。

2　culture とはもともと日本語の文化という言葉と違う意味で使われていたものであり、文化という言葉の本来持っていた意味は西洋人には理解できないものである。

3　culture を文化と翻訳したことに端を発して、本来なら technique という言葉を用いるところにも文化という言葉を用いたために、文化の本来の意味が損なわれた。

4　もっと自然のままの素質、個性を重視して育成する教育が行われなければ、文化国家とはいえない。

5　わが国は、technique を重視し、culture をおろそかにしてきたために国際文化などが育たなくなっている。

問2　正解3

　著者は、文化という言葉も英語の culture、technique も否定しているわけではない。もともとの日本語が持っていた文化という言葉と culture という言葉の本来の意味が異なるのを無視した翻訳が混乱の根本にあるといっているのである。その根底には、言葉はそれぞれの国民、民族が長い伝統で培ってきた語感というものがあって、それがない言葉は一人歩きをしてでたらめな使われ方をするという考えがある。

　文化という言葉も著者によれば、語感がない culture という言葉の訳語に用いられたところから、文化という言葉が誤って用いられ、伝統や個性を無視した、本来なら technique と呼ぶべきものにまで文化という言葉を用いるようになっている。そのことに著者は悲憤しているのである。

　選択肢1は、確かに文化という言葉に著者は良い感じを抱いていないのは事実だが、それは culture の訳語として不適切だといっているのであって、訳語を変えるべきだと主張しているわけではない。

　選択肢2は前半部分は正しいが、だからといって西洋人には理解不能とも理解可能とも述べてはいない。

　素質や個性を無視した加工は culture ではなく technique であって、言葉の用い方が違うということをいっているに過ぎないから、選択肢4は当てはまらない。

　選択肢5のように、technique と culture の比較論をしているのではない。わが国では、英語で technique といってもよいときにも文化という言葉を用いていることを指摘しているだけである。

次の記述を読んで、解答群から正解を 1 つ選べ。

問 1
check!
□□□

下表は、A、B 2 社の社員のある賃金を比較したものである。この表から確実にいえるのは 1 ～ 5 のうちどれか。

区分	A 社		B 社	
	男性	女性	男性	女性
人　　数	70 人	30 人	30 人	70 人
平均賃金	50 万円	30 万円	55 万円	35 万円

1　男女別の平均賃金は B 社がそれぞれ高くなっており、全社員の平均賃金も B 社が高くなっている。

2　A 社では 44 万円前後、B 社では 41 万円前後の賃金をもらっている社員がそれぞれの会社で一番多くなっている。

3　A 社は男性社員が多いので、年齢、勤続年数などの面から、全社員の平均賃金は B 社よりも高くなっている。

4　全社員の平均賃金は A 社が 40 万円、B 社が 45 万円なので、A 社と B 社と合わせた平均賃金は 42.5 万円である。

5　女性の社員数の比率は B 社が高くなっており、全社員の平均賃金は B 社が低くなっている。

問1　正解5

1 × A社の全社員の平均賃金は

$$\frac{50 \times 70 + 30 \times 30}{70 + 30} = 44 \text{（万円）}$$

B社の全社員の平均賃金は

$$\frac{55 \times 30 + 35 \times 70}{30 + 70} = 41 \text{（万円）}$$

よって、「B社が高くなっている」は誤り。

2 × 平均賃金だけを見て、平均賃金をもらっている社員が多いか少ないかを判断することはできない。したがって、確実にいえないので誤り。

3 × 「年齢、勤続年数の面から」であるかどうかは、この表からは判断できないので、誤り。

4 × 平均賃金の算出法が誤っており、A社、B社の平均賃金は1で算出したようにそれぞれ44万円、41万円であるので誤り。両社を合わせた平均賃金42.5万円は正しい。

5 ○ B社の女性の社員数の比率は70％であり、A社の30％よりも高いので正しい。また、全社員の平均賃金は1で計算したように「B社が低く」なっている。

次の記述を読んで、解答群から正解を 1 つ選べ。

問2
check!
□□□

下表は、2005 年、2010 年、2015 年の献血者数と献血量をまとめたものである。この表から確実にいえるのは 1 ～ 5 のうちどれか。

	2005 年	2010 年	2015 年
献血者数	5,440 千人	5,420 千人	4,890 千人
200mL	980	460	210
成　分	1,680	1,660	1,360
400mL	2,780	3,300	3,320
献血量	1,920 千 L	2,060 千 L	1,930 千 L

1　献血者 1 人当たりの献血量は、この 10 年間で約 2 倍に増えている。

2　10 年間で 200mL 献血をする人の減少率は成分献血をする人の減少率に及ばない。

3　2015 年の成分献血をする人の割合は 10 年前の 200mL 献血をする人の割合とほぼ同じである。

4　データのある 3 年のうち、1 人当たり献血量がもっとも多いのは 2010 年である。

5　総献血量に占める 400mL 献血者の献血量の割合は 10 年間で約 1.2 倍になっている。

問2　正解5

1× 献血者1人当たりの献血量は、353mLから395mLになっているが、2倍にはなっていない。

2× 200mL献血者数は約79％も減少しているが、成分献血者数は約19％の減少率であり、200mL献血者の減少率が顕著である。

3× 2015年の成分献血者の割合は約28％であるのに対して、2005年の200mL献血者の割合は約18％であり、差が大きい。

4× 1人当たり献血量は、2005年から順に353mL、380mL、395mLであり、もっとも多いのは2015年である。

5○ 総献血量に占める400mL献血者の献血量の割合は、10年間で58％から69％に伸びており、約1.2倍になっている。

●編著者
L&L 総合研究所
License & Learning 総合研究所は，大学教授ほか教育関係者，弁護士，
医師，公認会計士，税理士，1級建築士，福祉·介護専門職などをメンバー
とする。資格を通して新しいライフスタイルを提唱するプロフェッショナ
ル集団。各種資格試験、就職試験を中心とした分野，書籍·雑誌·電子出版，
WBT における企画・取材・調査・執筆・出版活動を行っている。

本書の内容に関するお問い合わせは、**書名、発行年月日、該当ページを明記**の上、書面、FAX、お問い合
わせフォームにて、当社編集部宛にお送りください。**電話によるお問い合わせはお受けしておりません。**
また、本書の範囲を超えるご質問等にもお答えできませんので、あらかじめご了承ください。
　FAX：03-3831-0902
　お問い合わせフォーム：https://www.shin-sei.co.jp/np/contact.html

落丁·乱丁のあった場合は、送料当社負担でお取替えいたします。当社営業部宛にお送りください。
本書の複写、複製を希望される場合は、そのつど事前に、出版者著作権管理機構（電話：
03-5244-5088、FAX：03-5244-5089、e-mail：info@jcopy.or.jp）の許諾を得てください。
JCOPY ＜出版者著作権管理機構 委託出版物＞

	絶対決める！	
	警察官〈高卒程度〉採用試験総合問題集	
編 著 者	Ｌ & Ｌ 総 合 研 究 所	
発 行 者	富 永 靖 弘	
印 刷 所	株式会社新藤慶昌堂	
発行所	東京都台東区　株式 台東2丁目24　会社	新 星 出 版 社
	〒110-0016 ☎03(3831)0743	

© SHINSEI Publishing Co., Ltd.　　　　　　　Printed in Japan